采

靈均。

美

居

江兮

蘭

秋

· 中國歷代詩人選集 ·

屈原賦選

劉逸生主編
王　濤選注

生活·讀書·新知 三聯書店
一九八三年·香港

帝高陽之苗裔兮，朕
皇考曰伯庸。攝提貞
於孟陬兮，惟庚寅吾
以降。皇覽揆余初度
兮，肇錫余以嘉名。名
余曰正則兮，字余曰
靈均。紛吾既有此內美
兮，又重之以修能。扈
江離與辟芷兮，紉秋
蘭以為佩。汩余若將

書　　名	屈原賦選 (中國歷代詩人選集)	
主　　編	劉逸生	
選　　注	王　濤	
責任編輯	林　毅	
裝幀設計	思　旅	
封面題字	區潛雲	
插　　圖	宋玉龍	
出版發行	生活·讀書·新知 三聯書店香港分店	
	香港域多利皇后街九號	
	JOINT PUBLISHING CO. (Hong Kong Branch)	
	9 Queen Victoria Street, Hong Kong.	
印　　刷	中華商務聯合印刷 (香港) 有限公司	
	香港九龍炮仗街七十五號	
版　　次	1981年12月香港第一版第一次印刷	
	1983年 7 月香港第一版第二次印刷	
定　　價	港幣十四元	
國際書號	ISBN 962·04·0119·0	

《中國歷代詩人選集》
編纂說明

　　中國向來有"詩國"之稱，詩歌藝術傳統深厚，源遠流長。自先秦時代以來，數千年間，作者如雲，名家輩出。他們辛勤勞作，不斷創新，寫下了無數名篇佳作，把詩歌藝術，發展到了很高的水平。這些傑出的詩人和作品，有如羣星燦爛，閃耀天際，照亮了中國文學發展的道路，成爲了中國文學藝術的高度成就的象徵。時至今日，這些詩歌作品仍然以其眞摯深刻的思想內容和豐富多彩的藝術形式，深深地吸引着無數的讀者，顯示了强大的生命力。

　　《中國歷代詩人選集》作爲一套大型的古典詩歌選集，它的編纂宗旨，就是試圖通過上起先秦、下迄清末民初數千年間有代表性的作家和作品的選介，幫助讀者認識和掌握中國古典詩歌發展的基本輪廓；爲讀者閱讀和欣賞古典詩歌的精華，提供若干方便；同時，也是發掘和整理古代的文學遺產，並通過學習和研究使其優良傳統得以發揚光大的一次初步的嘗試。爲此，我們定出了如下一些編選準則：

　　一、本選集所選的歷代詩人，須是各個時期有代表性的、影響較大的。作品以內容健康、較有積極作用者爲主。至於作品思想意義雖然不高，但藝術上確有成就，影響較大的作者，也適當增入，庶免偏頗。

　　二、本選集以人爲主，分集出版，每集選一人的作品，多者一百首左右，少者五、六十首，以能反映詩人思想及藝術風格，不遺漏其重要作品爲度。間有流傳作品較少，而又不應漏選之詩人，則以兩人或多人合成一集。此外特殊形態者如《詩經》、元人散曲，雖非一人一時之作，但對中國詩歌發展頗具影響，不可或缺，也分別自成一集。

三、本選集以詩家為主，間收詞人之作，詩詞均有較大影響者，則詩詞並選。

四、入選作品，一律加以注釋，但不作過分繁瑣的徵引或考證，唯求通俗簡明。鑑於古典詩歌語法結構的變化特殊，表現手法複雜，雖有注釋，一般讀者往往仍不易明瞭詩意。故除了個別作家作品確已明白如話或見注可明者外，一般均對詩句加上白話文串解，置於每則注釋之始。

五、每一選集，開頭均附以前言，介紹作者生平、思想及作品的主要傾向和特點。入選的作品，每首均有題解，具體說明作品的寫作背景、主題思想和藝術特色。但不求面面俱到，看作品的具體情況而定。

中國的古典詩歌，是一個蘊藏量極其巨大的寶藏，珍珠瑪瑙黃金白璧固然俯拾即是，然而要從中挑選出真正具有代表性的精品，卻又是一件需要有高超藝術眼光的極其繁難艱巨的工作，決非少數的幾個人能夠辦得到的，幸而前人已經在這方面做了大量的工作，取得了很大的成績，我們只不過是在他們的基礎之上，做一點再篩選和再整理的工作，如果讀者感到這套選集對於學習和欣賞中國的古典詩歌多少仍有一些幫助，那麼我們就得感到最大欣慰了。應當說明，由於我們學識淺陋，加上時間匆促，這個選集無疑還是十分粗糙的，其中錯誤不當之處定然不少，希請廣大讀者給予指正。

在本選集編纂過程中，得到有關各方面的支持和協助，不少老朋友提出了很好的建議，區潛雲先生又為各集一一題寫書名，使這套簡陋的選集大為增色，在此一併鳴謝！

劉逸生

一九七九年中秋節

前　言

　　屈原是我國古代偉大的愛國主義詩人，也是一位目光遠大的政治家。

　　他姓屈，名平，字原。我們根據《離騷》中"攝提貞於孟陬兮，惟庚寅吾以降"這句話，知道他出生於寅年寅月寅日這樣一個很巧合的時辰，並據以推算出他生於楚宣王二十七年，[1]即公元前三四三年。

　　屈原與楚王同宗。據《離騷》裏說，他的遠祖是傳說中的古帝王顓頊高陽氏。他父親名叫伯庸。楚國有屈、昭、景三姓貴族，他出身於屈姓貴族。屈家到了伯庸這一代，或許已經衰敗，所以屈原說自己"忽忘身之賤貧"（《惜誦》）。

　　屈原的故鄉在今湖北秭歸縣。據《水經注·江水》記載，"秭歸蓋楚子熊繹之始國，而屈原之鄉里也，原田宅於今具存。"秭歸位於著名的長江三峽的北岸，山明水秀，屈原在這裏度過了他的早年。此地盛產柑橘。屈原很喜歡故鄉的橘樹，寫出了《橘頌》這篇詩歌，託情寓意，以明心志。

　　屈原才華橫溢，青年時代便嶄露頭角。兼以他是楚的宗室，因此，二十多歲便奉召到宮廷供職，楚懷王任命他為左徒。左徒近似宗祝一類職官，宗史兼修，地位很高。屈原"博聞彊志，明於治亂，嫺於辭令"，很受懷王的信任，"入則與王圖議國事，以出號令，出則接遇賓客，應對諸侯"（《史記·屈原賈生列傳》），參與處理內政外交的重大事務。

　　屈原生活在七國紛爭的戰國時代，又是由長期的分裂割據逐漸趨向於統一的時代。當時，秦、齊、楚是七國中最強大的國家。秦國位於今關隴一帶，無後顧之憂，有進取之勢，退可守進可攻，

3

形勢有利，是西方的大國。齊國位於山東半島，人口衆多，富於漁鹽之利，實力向稱雄厚。楚國幅員遼闊，"帶甲百萬"，雄據南方。三強逐鹿中原，究竟由誰來完成統一大業，取決於這三國力量的消長。及至秦國經由商鞅變法，封建經濟迅速發展，實力增長很快，後來居上，成爲七國中最強大的國家。相反，楚國則因舊貴族的保守勢力太強，社會腐敗，發展遲緩，與秦相比，相形見絀，漸漸喪失了統一中國的資格，並日益感受到強秦的威脅。屈原的幼年時代，楚國就處於這種形勢之下。當時的楚威王曾戰戰兢兢地叙述過楚國的處境，他說："寡人之國，西與秦接境，秦有舉巴蜀、并漢中之心。……寡人自料，以楚當秦，未見勝焉。……寡人卧不安席，食不甘味，心搖搖如懸旌，而無所終薄。"（《戰國策·楚策》）屈原就任左徒的時候，振興國家，維護楚國的安全，已成爲楚王朝的當務之急。屈原對此有比較充分的認識。他一上任，便着手進行改革內政和聯齊抗秦的外交活動，以期達到這個目的。

屈原首先試圖解決國內問題。他向懷王提出了改革計劃，獲得懷王的支持，並曾一度付諸實施。這就是他在《惜往日》中所說的"受命詔以昭時"、"明法度之嫌疑"。屈原改革的要點，首先是制定革新的法令，再就是倡導"舉賢授能"，並着手培養人才。他在《離騷》中說的"滋蘭之九畹"、"樹蕙之百畝"，即指此而言。他期望將來這人"枝葉峻茂"，完成改革的偉業。在進行改革的同時，屈原積極推行聯齊抗秦的外交活動。就當時的形勢而論，楚國獨力難支，必須聯合齊這個大國，牽掣秦的力量，形成互相支援的犄角之勢，才能抵禦強秦的攻擊。聯齊抗秦的政策是非常正確的。這一政策大概贏得了懷王的支持，因此曾一度得到貫徹，同齊國建立了良好的關係，起到了遏制秦國的作用。

但是，屈原的內外政策很快便受到楚國舊貴族階層的強烈反對。屈原推行新令實行改革，必然觸及舊官僚貴族們的政治經濟利益。例如，實行"舉賢授能"的方針，就要選用新人淘汰一批舊官吏，這就嚴重損害了那些貪官惡吏的切身利益，他們如何能不羣起而攻之呢？《史記·屈原賈生列傳》記載，屈原奉命起草憲令，上官大夫欲奪憲令的未定稿，[2] 同屈原發生了激烈爭執。司馬遷認爲這是因爲 "上官大夫與之同列，爭寵而心害其能"。我看其中有更深刻的政治原因，恐怕是由於保守的官僚集團反對新令，才導致了這場衝突。

由於推行新令，楚國最高統治集團明顯地分裂爲兩大政治派別。支持屈原的朝臣，大概還有陳軫、昭雎等人，[3] 他們是少數派。他們全靠楚懷王的支持才得以暫時立住了腳跟。反對派的陣容則很強大，他們有整個舊貴族階層做根基，內有懷王的寵姬鄭袖及其兒子子蘭爲後盾，外有詭計多端的重臣上官簡、靳尚等人做先鋒。這批人聯合起來向屈派發動了攻勢。他們採取造謠誹謗誣衊中傷的卑劣手法，離間屈原與懷王的關係。懷王本是個鼠目寸光，昏懦無能的人。只因迫於秦國的壓力，加上屈原大概做了不少工作，他才支持屈原的主張。但是，由於他沒有政治洞察力和堅定的毅力，在羣小的包圍影響下，由動搖不定轉變爲完全倒向保守派一邊，逐漸疏遠冷淡了屈原。屈原政治上失勢，他的改革跟着也就失敗了。

秦國一直在設法瓦解齊楚聯盟。當他們看到楚國內部形勢的這種演變時，認爲時機已到，便派出能言善辯的張儀到楚國去執行破壞齊楚聯盟的任務。他首先以重禮賄賂上官簡、靳尚等人，通過他們取得懷王的信任，曉以親秦絕齊的 "好處"。他答應把秦國的商於之地六百里獻給楚國，以此爲釣餌誘騙懷王同齊國斷絕關係。懷王爲張儀的謊言所迷惑，竟然同意了張儀的要求。屈原這時雖被冷落一旁，但他很快識破了張儀的奸計，並曾苦苦勸告懷王不要上當，但懷王不僅不聽，反而革除了他左徒的職務，將他放逐到漢北。《惜誦》中的 "所非忠而言之兮，指蒼天以爲正"，大概就是指這次進諫的事。

張儀回國後，又施展另一詭計，暗中去拉攏齊國，同齊國建立了關係，醞釀推行更大的陰謀。楚懷王仍然蒙在鼓裏，並派人到秦國要求張儀交接商於之地六百里，張儀假裝吃驚地對楚使說：我同楚王約定的是六里，不是六百里，從某地到某地，你可以去受領。這真是普天之下最大的騙局！楚使回報懷王，懷王大怒，不暇思考，便發兵攻秦，與秦軍戰於丹陽（今陝西南鄭），結果折損兵員八萬人，大將軍屈匄被俘，並丟了漢中地。懷王更加激怒，傾國中之兵深入擊秦，在藍田被秦軍擊潰。經過這兩次慘敗，楚軍主力差不多消耗殆盡了。這一重大失敗使懷王稍微清醒了一點，從漢北召回屈原，任命他為三閭大夫，派他出使齊國，修復舊好。

秦國害怕齊楚聯盟復活，便提出退還楚的漢中地與楚講和。懷王恨透了張儀，他表示"不願得地，願得張儀而甘心"。張儀很瞭解懷王的弱點和楚國的內部情況，他徵得秦王的同意，便大膽來到楚國。他携帶了厚禮餽贈靳尚等人，並收買了懷王的寵姬鄭袖。鄭袖在懷王面前哭哭啼啼，要他放掉張儀，說得罪了秦國就不得了。昏庸的楚懷王這時竟忘了受騙的教訓，同意鄭袖的要求，放張儀回國了。正巧屈原使齊歸來，他勸懷王趕快追殺張儀，懷王這才覺悟過來，但張儀已經遠去，追之無及了。懷王此舉又一次失去了齊國的信任。屈原剛剛修復的齊楚聯盟這道籬笆又被張儀拆除了。秦國看清了這一點，從此以後對楚國採取了更加咄咄逼人的態勢，楚懷王和一般朝臣也更加迎合秦國，在屈膝投降的道路上越走越遠。屈原這時可能再次受到了貶斥。

楚懷王三十年，秦昭王約懷王到武關（今陝西商縣）相會。屈原認為秦是虎狼之國，不可相信，赴會太冒險，勸諫懷王不要去。但子蘭等人却攛掇懷王赴會，說如果不去就要得罪秦國。糊塗的懷王終於成行。他一入武關便被預先埋伏的秦軍斷絕了歸路，秦人將他挾持到咸陽，脅迫他割地。懷王這時倒有點骨氣，堅決不答應。以後他逃跑過一次，但未成功，三年後死於秦國。

懷王被秦拘禁之後，他的長子即位，是為頃襄王。這個人同他父親一樣柔弱無能，對秦國深懷恐懼，他任用其弟子蘭為令尹。子蘭與握有實權的司馬子椒狼狽為奸，[4]繼續執行親秦的政策。楚國淪落到這步田地,統治集團內部自然免不了有一番激烈的爭論。屈原認爲是子蘭斷送了懷王的生命,堅持應當改變親秦的政策,同子蘭派的矛盾加深,遭到子蘭的嫉恨。這幫姦人於是蓄意打擊屈原,在頃襄王耳邊千方百計地說屈原的壞話。屈原在楚國的政治舞臺上本來早已經沒有勢力,很容易地便被羣小徹底整垮了。他被頃襄王流放到了江南。

爲了國家的生存,自任左徒算起,屈原進行了二十餘年堅持不懈的努力,歷盡曲折,現在他完全失敗了。他滿懷憂慮,悲憤地沿着江夏東行,到今洞庭湖一帶過流浪的放逐生活。他曾沿沅水深入湘西,在山林杳冥的蠻夷地區溆浦逗留,從那裏或許又去了九嶷山,向大舜的神廟泣訴自己的衷情與憤怨。後又輾轉來到夏浦,在這裏寫下了著名的《哀郢》一詩。他被逐出郢都後,至此已經在江湘之間流浪九年了。他出沒於荒無人烟的地區。有時生活於叢林蔽天的崇山峻嶺之中,有時乘小舟航行於湍急的流水之上,或行吟澤畔徘徊於江河岸邊,有時又走在荊棘叢生、野草茫茫的原野上。羣山寂寥,大地無影無響,惟有偶爾飛過的孤鴻和啼叫的猿猴陪伴着他。屈原形容枯槁衣衫襤褸,潦倒困頓,處境極其艱難。但即使在這時,他仍然睠顧楚國,繫心君王,盼着楚王能夠幡然悔悟,自己有朝一日重返郢都再爲楚國出力。可是,他的熱望落空了。楚國君臣故態未改,反而更加屈膝於强秦的虎威之下,其腐敗程度尤甚於屈原在郢都之時,楚國的前途一天天黯淡下來,而他已是白髮絲絲,衰老疲憊,他的內心是何等的痛苦啊!

但是,政治迫害和生活的淒風苦雨都未能熄滅他內心燃燒着的愛國的火焰,相反,却驅使他產生了奔回郢都直諫君王,爲挽救楚國的頹勢盡最後努力的念頭。大概在寫完《哀郢》之後,他便取道江漢平原回郢都。途經漢水之濱,遇到了漁父。漁父勸他隨波逐流,與世推移,不必凝滯於無法實現的理想而"自令見放"。屈原回答說:寧赴湘流,葬身於江魚腹中,也不願以潔淨之身而蒙世俗之污垢![5] 屈原長途跋涉來到郢都,大概頃襄王拒絕見他,

7

還嚴厲地責令他回到江南去。屈原無奈，於是轉道秭歸，去探望鄉親父老，以寬慰他的愛國思鄉之情。這次回鄉或許見到了他的老姊，老姊以明哲保身的道理儆誡他。這就是《離騷》中所說的"女嬃之嬋媛兮，申申其詈予"這件事。

屈原旋即返回江南，在憂愁幽思中繼續過他的放逐生涯。這時，秦國已大規模地展開了削平六國的軍事攻勢，楚國接連敗北，大勢已去。公元前二八〇年，楚被迫割讓上庸、漢北地予秦；次年，秦將白起攻陷楚的鄢、鄧、西陵，打開了通向郢都的門戶；又隔一年，郢都淪陷，秦軍長驅直入，一直打到洞庭湖。頃襄王倉惶逃到陳城（今河南淮陽），苟安於一隅之地，楚國之滅亡已經是指日可待了。

屈原看到楚國瀕臨絕境，精神上受到沉重打擊。他苦悶，憂鬱，終於絕望了。公元前二七八年的初夏，正當秦軍逼近洞庭湖的時候，他沿着湖濱向南奔去。五月五日，這位楚國偉大的愛國詩人，投進了波濤滾滾的汨羅江，悲壯地結束了他的一生，享年大約六十五歲。楚國人民非常哀憐他，每年在他投江的這一天，以竹筒貯米、投入江中祭祀他。相傳世人於五月五日包粽子、划龍舟，也是因爲祭祀他而相沿成習的。司馬遷在《史記・屈原賈生列傳》中說："余讀《離騷》、《天問》、《招魂》、《哀郢》，悲其志。適長沙，觀屈原所自沉淵，未嘗不垂涕，想見其爲人。"今天，我們閱讀他的詩歌，也有相同的感受。千百年來，這位偉大的愛國詩人一直受到人們的愛戴和尊敬，他的事迹始終感動着後人。

以上我們概要地介紹了屈原的生平，下面簡略地談談他的作品。

屈原爲我們留下了輝煌的文學遺產。他的作品，漢人王逸的《楚辭章句》是二十五篇：《九歌》十一篇，《九章》九篇，《離騷》、《天問》、《遠遊》、《卜居》、《漁父》。篇數與《漢書・藝文志》相同。但《遠遊》、《卜居》和《漁父》三篇顯然不是屈原的作品，而《楚辭章句》中的《招魂》、《九辯》兩篇，王逸則認爲是宋玉所作。

屈原的詩篇貫穿着强烈的愛國主義思想。我們閱讀他的作品，首先感觸到的便是這一點。他的愛國主義思想對後世影響很深，一直教育激勵着一切有志之士關懷繫念祖國的命運，爲抵禦外侮，爲祖國的繁榮昌盛而奮發圖强，並努力做出自己的貢獻。這種作用是非常可貴的。屈原的作品，對楚國腐敗的政治揭露得比較深刻廣泛。在他的筆下，楚王的昏聵庸昧和羣小卑劣的面孔，以及"變白以爲黑兮，倒上以爲下，鳳凰在笯兮，鷄鶩翔舞"的社會現實，被勾劃得一目瞭然。他的二十多首詩篇，充滿了對惡徒宵小的鞭笞，對黑暗社會的指控。有憤怒，有憂愁與悲哀，也有在當時所無法實現的崇高理想。這字字句句交織成一幅楚國的現實圖景，透視出那個社會的陰影，從而賦予他的作品以史詩的地位。屈原長期面對政治迫害和艱難困苦的生活壓力，但他沒有低下高昂的頭，他不屈不撓，堅持他的理想和主張。這使他的思想境界更加光采照人。

屈原對昏庸的楚君是忠心耿耿的。他率直地，有時是尖刻地批評楚王。但這只是恨鐵不成鋼，而決無反抗的意思。他對君王始終是馴順的，至死都懷抱着幻想。正如魯迅先生《摩羅詩力說》一文所指出的，屈原的作品"放言無肆，爲前人所不敢言"，"而反抗挑戰，則終其篇未能見"，因此削弱了"感動後世"的力量。屈原的貴族階級的政治立場，決定了他的忠君思想，並在他的作品中濃厚地表現出來。他的忠君思想，在當時具有兩重性。一方面，這種思想緊緊地束縛着他，使他無力擺脫所處的政治困境，並最終導致自身的毀滅。另一方面，當日的楚國正處於封建社會的上昇階段，具有歷史的進步性，而楚王則是楚國的象徵，因此，屈原的忠君是同振興國家聯繫在一起的，具有明顯的愛國意義。屈原繼承《詩經》的優秀傳統，在荆楚民歌的基礎上創造了楚辭這種文體，完成了一次偉大的文學革命，對後世文學的影響極爲深遠。古代各個時期的作家，大都從屈原作品中攝取到豐富的營養，以哺育自己的作品。尤其是唐以前的詩人，莫不祖《詩經》

而宗《楚辭》。魯迅先生在《漢文學史綱要》中說："（戰國之世）在韻言則有屈原起於楚，被讒放逐，乃作《離騷》。逸響偉辭，卓絕一世。後人驚其文采，相率仿效。以原楚產，故稱《楚辭》。較之於《詩》，則其言甚長，其思甚幻，其文甚麗，其旨甚明，憑心而言，不遵矩度。……然其影響於後來之文章，乃甚或在三百篇以上。"這是很允當的中肯之論。

本書選注了《九歌》、《九章》、《離騷》和《天問》，作爲通俗讀物介紹給讀者，與大家共享屈原這位古代詩人留下的精神和藝術成果。屈原作品由於距我們年代久遠，文字艱深，所以注釋力求詳盡，並做了今譯。今譯以直譯爲主，以利讀者理解原作。爲方便讀者，注釋不避重複。唯典故因注文較長，則依出現之順序前詳後略，以免繁冗。本選集以《楚辭補注》四部叢刊本爲底本，校以他本。除個別地方作必要的說明外，一般不做校勘記。在注釋過程中，曾認眞學習研究前人的成果，注意吸取前輩學者的眞知灼見，力求注釋準確。但後生學識淺陋，涉獵屈賦爲日無多，斗胆注釋這樣宏偉的詩篇，謬誤必不在少，尤其是個人的某些管見，舛錯之處尚希讀者多多指正。

王　濤

一九七九年十月二十九日於上海

【注釋】

1 關於屈原的生辰有不同的推算方法，此據殷曆推算。

2 《史記·屈原賈生列傳》僅說是上官大夫，未記其名。我據《風俗通義·六國》"懷王佞臣上官子簡斥遠忠臣"的記載，認爲司馬遷所說的上官大夫即上官子簡其人。

3 楊愼《太史升庵全集》卷五一："昭常、景鯉，不肯與秦地；昭雎、屈原，止懷王入秦。四臣皆楚國同姓世臣，夷險不易其操，危難不更其守，家國一體，休戚同之。"這段材料表明，當時同屈原站在一起的還有昭常、景鯉、昭雎等人，他們都屬於楚國的三姓貴族。

4《後漢書·孔融傳》"屈平悼楚，受譖於椒、蘭"注："秦昭王使張儀譎詐懷王，令絕齊交，又誘請會武關，平諫，王不聽其言，卒客死於秦。懷王子子椒、子蘭讒之於（頃）襄王，而放逐之。見史記。"（今本《史記》無子椒。）據此，子椒亦爲懷王子。其在頃襄王朝任司馬，掌軍權。

5屈原與漁父的問答，見《漁父》一文，載《楚辭》中。《漁父》恐怕是後人根據所傳聞的屈原與漁父的這次對答而寫成的。

目　錄

九　歌 ※

東皇太一

本篇描述了祭祀東皇太一神的盛大場面。

東皇太一乃楚人最尊崇的天神，就是天帝。它的地位相當於上帝。是一位開天闢地，創造和主宰萬物的神。古人認爲春的方位在東方，所以稱天神造物主爲東皇。太，是始原的意思，其哲學概念指的是宇宙的本體；一，唯一，獨尊。《史記·封禪書》："天神貴者太一，太一佐曰五帝。古者天子以春秋祭太一東南郊。"由此可以想見，東皇太一在楚人的心目中，是極爲尊貴偉大的神。祭祀時大概首先祭它，因此《九歌》也把它排在首位。

　　吉日兮辰良，穆將愉兮上皇。撫長劍兮玉珥，璆鏘鳴兮琳琅。

※　《九歌》是流行於楚國的一種套曲。這種套曲將歌辭、音樂、舞蹈三者結合起來，是類似歌劇、舞劇的藝術形式，用於當時經常舉行的祭祀活動。相傳夏代便有樂曲《九歌》。楚國的《九歌》恐怕大不同於夏代的《九歌》，惟其藝術形式或許有繼承關係。屈原作《九歌》，大概是供宮廷祭祀或娛樂用的。

　　辰艮：猶言艮辰。古人祭祀要選擇吉日艮辰。　穆：肅然起敬。　將：就要。　愉：歡快。　上皇：指東皇太一。上皇是敬語。　撫：猶言握。　玉珥：華美的劍環。珥，音耳 ěr。　璆鏘：金玉相互撞擊的清脆的聲音。璆，音求 qiú。　琳琅：球琳、琅玕，皆美玉名。琅，音郎 láng。

　　"吉日"四句說：日子吉祥時美辰艮，喜悅歡暢地敬奉上皇。手握長劍玉珥閃着光芒，身上的佩飾響得叮叮噹噹。

　　以上是第一段。寫人們華服盛裝，參加祭祀東皇太一的典禮。

　　瑤席兮玉瑱，盍將把兮瓊芳。蕙肴蒸兮蘭藉，奠桂酒兮椒漿。

　　瑤席：華麗的席子，是用來墊玉瑱的。瑤，美玉，形容席子如美玉一般。　瑱：音陣 zhèn，即圭，一種玉製的禮器，在祭祀或舉行其他大典時用於陳列供張。　盍：音和 hé，合。　將把：猶言秉持、拿着。　瓊芳：指芳香艷麗的花草。　蕙：香草名，即佩蘭。　肴蒸：同"餚蒸"，裝在禮器內供祭祀用的牛羊肉。

　　蘭：蘭草，又名澤蘭，多年生常綠草本植物，秋天開花，清香幽遠，古人常用蘭作佩飾。　藉：墊席。蘭藉，指墊餚蒸的芳潔的草席。　奠：祭。　桂酒：桂花酒。　椒漿：用椒浸過的酒。椒，花椒的一種，味辛香，古人用爲香料。

　　"瑤席"四句說：玉瑱端端正正地放在瑤席上，把一束束花草擺到祭壇前鬱鬱芬芳。蘭席上的祭肉苫着蕙草，還陳列着桂酒和椒漿。

　　以上是第二段。寫豐盛香潔的祭品，莊重地陳設在祭壇上供神享用。

揚枹兮拊鼓，疏緩節兮安歌，陳竽瑟兮浩倡。[1]
靈偃蹇兮姣服，芳菲菲兮滿堂；五音紛兮繁會，
君欣欣兮樂康。[2]

【注釋】

1 枹：音扶 fú，同"桴"，鼓槌。 拊：音府 fǔ，擊。 疏
緩節：節奏舒緩。 安歌：輕曼地歌唱。 陳：列，指伴奏的樂
手排列有序。 竽：古代的一種簧管樂器，形狀似笙，管分前後
兩排。 瑟：古代一種彈撥的絃樂器，形如古琴，二十五絃，用
五音定調。 浩倡：猶言樂聲悠揚。浩，指樂聲高而宏亮。倡，
奏樂。

"揚枹"三句說：舉起鼓槌敲得鼓響，和着舒緩的節拍輕柔
地歌唱，齊整的樂隊吹彈竽瑟笙簧，樂聲悠揚。

2 靈：巫覡，文中指女巫。屈賦中"靈"字用得很活，或指
巫覡，或指神靈，有時又指去世的人。 偃蹇：形容低昂翩然的
舞姿。蹇，音減 jiǎn。 姣服：華麗的衣服。 芳：指歌舞場內
和祭壇上散發的幽香。 菲菲：形容香氣氛氳。 五音：指古代
宮、商、角、徵、羽五聲音階，簡單地說，大體相當於現代簡譜
的1、2、3、5、6五個音。宮、商、角、徵、羽是用來定調
的。古人通常以宮作為音階的起點，即宮調，若以角為音階的起
點，則為角調，餘類推。徵，音止 zhǐ。 紛兮繁會：紛繁錯雜，
形容樂器交奏，樂聲抑揚頓挫跌宕廻旋。 君：指東皇太一。
欣欣：喜悅貌。 樂康：歡快。祭祀者認為東皇歆享了祭品，觀
賞了歌舞，所以說他"欣欣兮樂康"。

"靈偃蹇"四句說：靈巫翩翩起舞婆娑低昂，華麗的衣裳
飛揚飄蕩，馥鬱的幽香佈滿了庭堂。繁音促節廻旋跌宕，東皇欣
欣然喜氣洋洋。

以上是第三段。寫祭東皇時鼓樂喧闐，載歌載舞，歡騰喜悅
的盛況。

3

東　君

　　東君就是太陽神。據甲骨文記載，殷人經常舉行迎日的祭祀儀式，直到漢代迎日仍然是重要的祭典之一。在篤信鬼神、巫風盛行的楚國，祭日活動可以想見是很隆重的。《東君》歌咏的就是楚地的迎日典禮。

　　在今本《楚辭》中，《東君》排在《雲中君》之後。但據《漢書·郊祀志》"晉巫祠五帝、東君、雲中君"的記載，則本篇以排在《雲中君》之前爲宜——聞一多先生持此說。東君是日神，就其地位說，也不該排到雲中君的後邊。所以出現這種篇次顛倒的情況，當是在長遠的流傳過程中錯簡所致，現將其排在《雲中君》之前。

　　　暾將出兮東方，照吾檻兮扶桑。撫余馬兮安驅，夜皎皎兮既明。[1]駕龍輈兮乘雷，載雲旗兮委蛇。長太息兮將上，心低佪兮顧懷。[2]羌聲色兮娛人，觀者憺兮忘歸。[3]

【注釋】

　　1 暾：音吞 tūn，朝日的光輝。　吾：我，太陽神自稱。檻：軒欄。　扶桑：古代傳說，東海盡頭有兩株同根的桑樹，互相依倚，高數千丈，名叫扶桑。太陽神羲和與其十個兒子——十個太陽住在這裏，"九日居下枝，一日居上枝"。每天清晨，羲和駕着六條螭龍拉的日車，載一個太陽，從湯谷出來，先到咸池洗澡，再從扶桑木上冉冉騰空，緩緩西行，傍晚落入西方的崦嵫

（音煙姿 yān zī）山。楚人大概是相信這個神話的。“暾將”八句，就是以此爲根據，用太陽神的口氣，唱出太陽初昇時燦爛的景象，表達祭祀者崇拜太陽神、歡呼其昇起的心情。　撫：摸，文中是驅趕的意思。　余：日神自稱。　馬：指拉日車的螭龍，因以螭龍代馬，故稱。　安：緩慢安適。　驅：前行。　旣：已經。

“暾將”四句說：輝煌啊! 我將自東方昇起，照耀我庭軒的欄杆——巍峩的扶桑。趕着我的馬兒緩緩地騰空昇起，使夜色退去天光明亮。

2 龍輈：指日車。龍，螭龍；輈，音舟 zhōu，車轅。　乘雷：形容日神的車輪滾滾，像駕着風雷一樣。　載：插。　雲旗：繪着彩雲圖案的旗幟。　委蛇：同“逶迤”，曲折綿長，文中形容日車上排排的雲旗迎風招展。　長太息：長長地嘆氣，指日神將要離家遠征時發出的慨嘆。　上：指太陽從地平綫昇起。　低佪：徘徊留連。　顧懷：回顧眷念。　“長太息”二句，用擬人化的手筆寫太陽將出未出時，那種似昇非昇遲疑徘徊的情景。

“駕龍輈”四句說：套好車駕，乘上風雷，插載的雲旗迎風飄搖。輕嘆一聲即將騰空昇起，別情依依留連眷念。

3 羌：語助詞，無義。　聲色：指迎日的歌舞。聲，歌聲樂聲；色，歌舞者的姿容與舞衣的色彩。　觀者：謂參加迎日祭禮的人。　憺：音但 dàn，內心歡暢。

“羌聲色”兩句說：音容舞色人人陶醉，觀衆歡悅留連忘返。

以上是第一段。寫太陽神自東方昇入天空，人們沉醉於祭禮的聲色歌舞之中。

　　絚瑟兮交鼓，簫鍾兮瑤簴，鳴篪兮吹竽，思靈保兮賢姱。[1]翾飛兮翠曾，展詩兮會舞，應律兮合節，靈之來兮蔽日。[2]

【注釋】

1 絚瑟: 撳緊瑟的絃，絃緊則音色清脆。絚，音庚 gēng，緊。交鼓: 樂手面對面地彈奏。鼓，奏。 簫: 同「捬」，音宵 xiāo，敲擊。 鍾: 即編鐘，古代的打擊樂器，是一組依一定規格鑄造的樂鐘，按音律的序列依次懸掛在鐘架上。鐘架叫簴，音巨 jù。瑤: 同「搖」。 篪: 音持 chí，古代一種橫吹的竹管樂器。思: 念，文中是喜愛之意。 靈保: 指歌舞的女巫。靈，神異；保，同「寶」，即神的意思。巫覡是人與神鬼的中介，因其交通神鬼，故稱靈保。 賢姱: 美麗。姱，音誇 kuā 或庫 kù，美。

「絚瑟」四句說: 樂手交奏調緊的琴瑟，叩擊編鐘搖撼着鐘架，竽篪齊吹樂曲悠揚，惹人愛的女巫美貌如花。

2 翾飛: 鳥飛舞貌。翾，音宣 xuān。 翠: 翠鳥。 曾: 同「翻」，音增 zēng，高飛。 展: 陳，文中是朗誦的意思。 詩: 大概是祭日神之類的詩歌。 會舞: 即羣舞。會，合。 應律: 同音律相合。律，古代的十二音律。律，本指定音高的竹管，竹管的長短不同吹出的音高也不同。古人以十二支規格固定的律管所吹出的聲音代表十二個基準音，叫十二律。十二律各有名稱，從低到高依次為: 黃鍾、大呂、太簇、夾鍾、姑洗、中呂、蕤賓、林鍾、夷則、南呂、亡射、應鍾。 合節: 同節奏合拍。 靈: 指太陽神。此「靈」大概是由巫覡扮演的。 蔽日: 言日神來時氣派盛大，旌旗翠羽，遮天蔽日。

「翾飛」四句說: 翩躚的舞姿好像翠鳥翻飛，合跳輕曼的舞蹈，朗誦優美的詩篇。樂曲應聲律，舞蹈合節拍，迎來了日神，傘蓋和旌旗遮了半邊天。

以上是第二段。寫祭祀場上鼓樂喧闐，巫覡們輕歌曼舞，終於迎來了日神。

　　青雲衣兮白霓裳，舉長矢兮射天狼。操余弧兮反淪降，援北斗兮酌桂漿。[1]撰余轡兮高馳翔，杳冥冥兮以東行。[2]

【注釋】

1 白霓： 虹霓。虹霓是陽光照耀空中微細的水珠折射而成的弧形彩帶。虹的色彩內紫外紅，虹的外側有一條內紅外紫的色帶，叫做霓。霓色彩原很鮮明，但當其淺淡時，彷彿是白色的，故又稱之爲白霓。 裳： 古人叫上衣爲衣，下裙爲裳。 矢：箭。 天狼： 天狼星，在大犬座，是天空中最明亮的恒星。古人認爲天狼是妖星，象徵着貪婪和殘暴，因而也是太陽神的敵人。射天狼，是消滅妖星，避免受其侵害之意。 操余弧： 拿着我的木弓。余： 太陽神自稱。 反淪降： 由天上降臨祭壇。淪，下落。按中國古代天文學的說法，在天狼星的側下方，有所謂弧矢九星，其形如張箭之弓，箭頭正指向天狼星。“舉長矢”二句，乃就此星像而言。關於弧矢射天狼之說，古代大概是有神話故事的，今已不傳罷了。 援： 引，文中是舉的意思。 北斗： 斗，指舀酒的杓子。北斗七星聯起來呈舀酒的斗形，故以之喩酒杓。《詩·小雅·大東》：“維北有斗，不可以挹酒漿。” 酌：飮。 桂漿：桂花酒。

“靑雲衣”四句說：我穿着靑雲衣，白霓裳，高擎長長的神箭射向貪暴的天狼。我手挭木弓反身降到祭壇上，拿過北斗舀一杓桂花酒，痛飲歡暢。

太陽神射天狼、酌桂漿等動作，可能是由代表太陽神的巫覡表演。

2 撰： 握着。 余： 太陽神自稱。 轡： 繮繩。 翔： 謂日車在空中翺翔。 杳冥冥： 形容天空高遠。杳，音咬 yǎo。 以：從。 行： 音杭 háng。

“撰余轡”兩句說：控住馬兒的繮繩高高地馳翔，在高遠的天空中從東方走向西方。

以上六句是末段。寫太陽神消滅兇敵天狼後，來到祭壇享受祭者奉獻的酒漿，而後駕着日車向西馳去。祭禮至此結束。祭典中有獨唱，有合唱，有獨舞，有羣舞，還有靈巫表演，自始至終由樂隊伴奏，簡直是用祭祀的形式演出了一臺精彩的文藝節目。

7

難怪聲色娛人，觀者忘歸了！

雲中君

　　雲中君是雲神。雲同人的關係很密切。有雲才有雨，雨量的多寡，降雨是否及時，關涉着禾稼的生長和年成的好壞，直接影響到人們的生活。所以，古人祭祀雲神、祈求賜予豐年，是由來已久的事。在甲骨文中，雲字像一朵雲彩的形狀，有"二雲"、"三雲"、"四雲"等名目，這都是商殷奴隸主祭祀的對象。一直到漢代，仍然祭祀雲中君。《漢書·郊祀志》："晋巫祠五帝、東君、雲中君"，"歲時祠宮中"。農業是古代社會的經濟命脈，祭雲神不但民間關心，統治者尤為重視。

　　《雲中君》是楚人祭祀雲神的祭歌。短短的幾行字，把他們信仰崇拜雲神的一片至誠表現得淋漓盡致。

浴蘭湯兮沐芳，華采衣兮若英。

【注釋】

　　蘭湯：猶言香湯，用蘭草煮的洗澡水。蘭，蘭草。湯，熱水。沐：沐浴。　芳：即白芷，多年生草本，夏日開簇生的小白花，又名茝離，也叫芳香，簡稱芳；文中指白芷煮的香湯。　華采衣：色彩華麗的衣裳。上古祭祀時歌舞者服裝的顏色有嚴格的規定。據《淮南子·齊俗》，舜時用黃色禮服，夏代用青色禮服，殷代用白色禮服，周代則用紅色禮服。至於楚國不知其用何種顏色。本文說用"華采衣"，或許是多種色彩的。　若英：猶言如花。

　　"浴蘭湯"兩句寫女巫芳潔華美，說：沐浴過蘭芷香湯，色彩繽紛的衣裳像花朵一樣。

靈連蜷兮既留，爛昭昭兮未央。蹇將憺兮壽宮，與日月兮齊光。龍駕兮帝服，聊翱游兮周章。

【注釋】

靈：指雲神。　連蜷：長而蜷曲，形容雲神（雲朵）的形態。　既：既經。　留：謂雲神滯留在空中。　爛：閃射光華。　昭昭：明耀。　未央：無盡，未已。　蹇：偃蹇，高聳貌。　將：且。　憺：安適。　壽宮：雲神在天上居住的神宮。　龍駕：龍拉的車駕。傳說龍游於雲水中，古人大概認為雲神的座車是用龍拉的。　帝服：五彩的衣服。帝，指五方帝，舊以青、黃、赤、白、黑五色代表五方，五方各有一帝。　聊：將、且。　翱游：翱翔漫游。　周章：猶言周轉，周遊四方之意。

“靈連蜷”六句，結合雲的特點描述和讚美雲神，說：雲神團團蜷曲滯留在天上，閃爍着明亮的色焰。居住的壽宮崔巍而舒適，同日月放射着一樣的光芒。乘坐飛龍拉的車駕，身著五彩的衣裳，翱翔漫遊周流四方。

靈皇皇兮既降，猋遠舉兮雲中。覽冀州兮有餘，橫四海兮焉窮？

【注釋】

皇皇：同“煌煌”，光明貌。　降：指降落祭壇，謂歆享祭品。　猋：音標 biāo，同“飆”，暴風；文中是乘暴風之意。　遠舉：猶言高飛。舉，向上。　覽：看。　冀州：九州之一，但我國中原地區古代也統稱冀州。　有餘：猶言綽有餘裕，謂冀州太小，不足雲神一覽。　橫：橫跨。　四海：等於說四方。清顧炎武《日知錄·四海》：“爾雅九夷、八蠻、六戎、五狄謂之四海，周禮校人凡將有事於四海山川注，四海猶四方也，則海非眞

9

水之名。” 焉窮：無窮之意。焉，何。

“靈皇皇”四句說：雲神靈光閃閃降臨祭壇，歆享了禮拜和祭品，陡然間又乘狂飆昇入雲端。俯看冀州何足一覽，縱橫於四海無窮無盡。

這四句謂雲神活動的範圍不限於一地，而是博大的五湖四海。極言它可降禍福於人類。

思夫君兮太息，極勞心兮忡忡。

【注釋】

夫：語氣詞。 君：雲神。 極：甚。 勞心：猶言憂心。忡忡，音充 chōng，憂愁貌。

“思夫君”兩句是巫覡禱念雲神的話，說：思念你啊，神明！我深深地長嘆，內心憂感而不安。

祭雲神大抵為了祈雨或止霾雨，上言雲神方降臨便又遠舉，似有不施恩澤之意，故祭者憂心。這其實僅是祭者的心情而已。

湘　君

本篇與《湘夫人》同為祭祀湘水神的祭歌。湘君和湘夫人都是湘江水神，湘君是男神，湘夫人乃女神。本詩寫湘君等候湘夫人不至，於是駕舟前去尋找她，歷覽江流，居然遠遠地望見了湘夫人的影子。但湘夫人曇花一現，隨即飄然遠引，終於未遇。湘君在悵然失意之餘，却更思念湘夫人了。這種神祇間的真情摯意，反映了楚國沅湘一帶人民戀愛生活的一段側影。

舊謂帝舜南巡江湘，死葬蒼梧之野，成為湘江的水神湘君；或說舜妃娥皇與女英隨舜南巡，溺死於湘江，遂為水神。娥皇為

湘君，女英爲湘夫人，則湘君又是女神了。

這兩說雖然各有根據，但論據終嫌不足，恐爲穿鑿附會之說。上古的人們缺乏科學常識，面對江河洶湧的波濤，不知其所以然，於是奉之爲水神而加以崇拜。湘水神乃是生活在湘江流域的人民，在世世代代的漫長歲月中，輾轉形成的一種觀念上的神祇形態，正如"東君"、"雲中君"一樣，不過是神話罷了。湘水神的形成應該是相當久遠的事，恐怕要比舜和娥皇、女英這些歷史傳說人物出現得還要早。我認爲，作爲楚地神祇系統中的固有成員，湘君、湘夫人自爲湘江水神，同舜或娥皇、女英是沒有關係的。

　　君不行兮夷猶，蹇誰留兮中洲？美要眇兮宜脩，沛吾乘兮桂舟。[1]令沅湘兮無波，使江水兮安流。望夫君兮未來，吹參差兮誰思！[2]

【注釋】

　　1 君：指湘夫人。　夷猶：猶豫。　蹇：發語詞，無義。誰留：爲誰而留？　中洲：即洲中，指湘夫人所在的地方。洲，江河中可居住的陸地，大的叫洲，小的叫渚。　要眇：姿容儀態秀美的樣子。要，音邀 yāo。　宜脩：美得恰如其分，極美的意思。宜，適度；脩，同"修"，美。　沛：水流迅疾，文中指船走得輕快。　吾：湘君自稱。　桂舟：桂木造的舟。

　　"君不行"四句說：你猶猶豫豫不肯啓程，爲誰而留在洲中？思念你呀，含情的眼睛動人的美容，我將駕着飛駛的桂舟尋求你的倩影。

　　2 沅：沅水，源出貴州雲霧山，流經湖南西北部注入洞庭湖，爲湖南的第二大江。　湘：湘水，源出廣西海洋山，縱貫湖南，流入洞庭，爲湖南第一大江。沅湘的中下游是楚國的南疆，當時居住着百濮等少數民族，文化水平較低，號稱蠻荒之地，巫蠱盛行。江：指長江。沅湘注入洞庭流進長江，因沅湘與長江相通，故文中"沅湘無波"與"江水安流"並提。　君：謂湘夫人。　參差：音 cēn cī，指排簫。排簫是古代一種管樂器，以竹管製成。春秋戰國時的排簫一般有十三個音管。因其管長依次遞減，看上去不齊整，故稱參差。　誰思：思誰。

"令沅湘"四句說：讓沅水和湘江不要翻捲波浪，使浩浩的長江緩緩流淌。望眼欲穿你總不來，吹起排簫我把你思念！

以上八句是第一段。寫湘君等候許久不見湘夫人，欲往尋找。

　　駕飛龍兮北征，邅吾道兮洞庭。薜荔柏兮蕙綢，蓀橈兮蘭旌。望涔陽兮極浦，橫大江兮揚靈。[1] 揚靈兮未極，女嬋媛兮爲余太息。橫流涕兮潺湲，隱思君兮陫側。[2]

【注釋】

　　1 飛龍：謂湘君的桂舟。　征：遠行。　邅：音沾 zhān，轉。吾：湘君自稱。　薜荔：音閉力 bì lì，一種常綠的藤本植物，緣木而生，花微小，又名木蓮。　柏：同"帕"，帕即古"帛"字，文中指旗幟。　蕙：香草。　綢：纏旗桿的絲織品。　蓀：音孫 sūn，香草名。　橈：音撓 náo，旗桿上掛旗子的曲鈎。蘭：蘭花，多年生草本，花清香，又名春蘭。　旌：旗桿頂端的裝飾品，一般用旄犛做成。　涔陽：地名，即今湖南澧縣北的涔陽浦。涔，音岑 cén 。　極浦：猶言遠浦。浦，水濱。　大江：指澧水。澧水流經湘西北，過涔陽。　揚：張揚、顯現。　靈：指湘夫人，因其是水神，故稱靈。揚靈，猶言現身。

　　"駕飛龍"六句說：我駕着飛龍順流北行，把我的航向轉往洞庭。薜荔當旗幟，香蕙作桿綢。蓀草的橈鈎，春蘭的旗旌。我遙望涔陽遼遠的水邊，只見你橫渡大江的倩影時隱時現。

　　2 未極：未至。　女：指湘夫人的侍女。　嬋媛：心中悽惶不安貌。　余：湘君自稱。　太息：嘆息。　涕：眼淚。　潺湲：

12

水流動貌，文中形容淚流不止。　隱：痛苦。　君：指湘夫人。
陫側：同"悱惻"，悲苦。陫，音匪 fěi。

　　"揚靈"四句說：你出現在遠方竟未至我的身傍，你的侍女也當爲我嘆惋而悽惶不安。思念你啊，我淚流滿面悽切而悲傷。

　　以上十句是第二段。寫湘君駕舟尋覓湘夫人，已是遙遙在望，但湘夫人竟翩然而去，不禁悵惘而悲切起來。

　　桂櫂兮蘭枻，斲冰兮積雪。采薜荔兮水中，搴芙蓉兮木末。心不同兮媒勞，恩不甚兮輕絕。[1]
石瀨兮淺淺，飛龍兮翩翩。交不忠兮怨長，期不信兮告余以不閒！[2]

【注釋】

　　1 桂櫂：桂木做的船（一說指搖船工具）。櫂，音趙 zhào。
蘭枻：木蘭木做的短槳。木蘭，又名林蘭、杜蘭，高數丈，枝葉扶疏，四月初開花，內白外紫，又有紅黃白數種，也有四季開者。枻，音易 yì。　斲冰積雪：船飛駛時劈開水流，激起白色浪花，船頭白花花的，好像破水一樣。船舷的浪花又如白雪堆積。這是形容船行迅速，借以表現湘君求湘夫人的焦慮心情。斲，音茁 zhuó，砍削。　搴：音千 qiān，採。　芙蓉：荷花。　木末：樹梢。薜荔長在地上，荷花生在水中，入水採薜荔，上樹摘荷花，比喻緣木求魚，勞而無功。這是求湘夫人不得而產生的怨望情緒。
媒：媒人。　甚：深。

　　"桂櫂"六句說：我奮力划動蘭槳，桂舟疾駛，飛起雪一般的激浪。但却像入水採擷薜荔，摘荷花反而爬到樹上。心不相同，媒人奔走也是徒勞，恩情不深，終究要輕易斷絕。

　　2 石瀨：沙石上的急流。文中指清清的江水。瀨，音賴 lài，湍流。　淺淺：音牋，jiān，流水聲。　翩翩：文中形容舟行輕快而迅捷。　怨長：情怨深長。　期：約會。　不信：猶言不踐

13

約。　不閒：沒有空閒。閒，同"間"。

　　"石瀨"四句說：江水淺淺地流淌，桂舟輕快地飛翔。交好而不忠誠，我心底的情怨深又長，不踐約會却告訴我你沒有空閒！

　　以上十句是第三段。寫湘君會不到湘夫人時怨恨的心情，反襯出他對湘夫人一片深摯的愛。

　　朝騁騖兮江皐，夕弭節兮北渚；鳥次兮屋上，水周兮堂下。[1]捐余玦兮江中，遺余佩兮醴浦；采芳洲兮杜若，將以遺兮下女。時不可兮再得，聊逍遙兮容與！[2]

【注釋】

　　1騁：音逞 chěng，馬照直奔跑。　騖：音務 wù，馬亂跑。騁騖，四處奔走，指湘君焦灼地四處尋找湘夫人。　江皐：江濱。皐，音高 gāo，水邊地。　弭：音米 mǐ，停止。　節：鞭子。弭節，放下馬鞭，文中指停馬駐留。　北渚：江北側的小島。　次：住，文中指鳥棲息。　周：環繞。

　　"朝騁騖"四句說：白天我焦灼地在江邊馳騁，黃昏我留宿在北渚；歸鳥在屋檐下棲息，江水在堂前環流。

　　2捐：棄。　玦：音決 jué，玉器名，環形，有一缺口。江：指澧水。　遺：丟。　佩：佩帶的裝飾品，多為金玉器。醴：同"澧"，水名，源出湖南桑植縣，注入洞庭湖，為湖南四大江水之一。古人有"絕人以玦"的說法，辭中"捐玦"、"遺佩"乃氣惱時的情話，以示對湘夫人爽約不至的怨情。正因為湘夫人出現於澧水之濱而未成幽會，所以才將"玦"、"佩"丟進澧水及其水濱。湘君此舉表露了他對湘夫人的愛和失意的感情。

　　芳洲：生長着香花芳草的洲渚。　杜若：香草名，多年生草本，夏天開花，味辛香。　遺：音味 wèi，贈送。　下女：謂湘夫人的侍

14

女。時,時機,指在涔陽遙見湘夫人的機緣。　容與:自在從容貌。

　　"捐余玦"六句說: 我把玉玦投入江心, 將瓊佩丟到澧水之濱。到芳洲上探集馨香的杜若, 交與你的侍女, 以表達我的惆悵之情。機緣錯過難再得, 姑且逍遙自在求取歡愉。

　　以上十句是末段。寫湘君奔波於澧水上下尋覓湘夫人, 終於未遇, 心中交織着愛和怨, 失望之餘又亟盼得到湘夫人的愛情。

湘 夫 人

　　前篇《湘君》寫湘君思念湘夫人,本篇則描述湘夫人對湘君的一往深情。兩位水神都在痴心地想着對方,又都在滿腹幽情地怨望着對方。多麼有趣的情節! 使人深深地感到: 這一對眞是純眞可愛!

　　本祭歌篇幅雖然不長, 但筆觸細膩, 跌宕起伏, 情節動人,無愧是傳誦千古膾炙人口的佳作。例如, 湘夫人在渴念湘君的情思中, 忽然聆聽到湘君親切的呼喚。於是雙雙携手同遊, 營室於水中, 在即將結成歡會的時刻, 湘君又突然被九嶷神靈接走, ——原來這都是湘夫人的幻覺——湘夫人從幻想的美境中, 又跌落到冷落孤寂、懊惱愁悵的現實裏。這種橫生波瀾的文筆, 使不聞其聲不見其形的水神湘夫人, 一時活靈活現起來, 簡直成爲現實生活中美麗純眞的少女了。

　　湘夫人是誰? 漢人王逸認爲, "堯二女娥皇、女英隨舜不反(返), 墮於湘水之渚, 因爲湘夫人"。後人多沿用此說。而晉人郭璞則認爲湘夫人是天帝的女兒。《山海經·中山經》: "洞庭之山, ……帝之二女居之。是常遊於江淵。"郭璞注: "天帝之二女而處江爲神, 即《列仙傳》江妃二女也。《九歌》所謂湘夫人稱帝子者是也。"釋湘夫人爲天帝的女兒比較合理, 因天帝之女本來就是楚地人民心目中的神女，居於洞庭，作爲水神出現是很自然的。

帝子降兮北渚，目眇眇兮愁予。嫋嫋兮秋風，洞庭波兮木葉下。

【注釋】

帝子：即湘夫人，因是天帝的女兒，故稱帝子。古代不論男女，都可稱子，含尊敬之意。　北渚：湘江中偏北岸的小島。眇眇：瞇着眼睛竊視而有所期待。　予：音於 yú，憂。愁予即愁憂。　嫋嫋：音鳥 niǎo，形容秋風徐徐吹拂。　洞庭：即洞庭湖，在湖南北部，與長江相通，納湘、資、沅、澧四水滙入長江，今之面積較古代已大爲縮小。　木葉：樹葉。

"帝子"四句說：湘夫人降臨在北渚上，望穿秋水無限憂傷。只見秋風颯颯湧起洞庭的波浪，搖落枯黃的樹葉。

這四句是第一段。總寫湘夫人思念湘君，是破題的引子。

登白蘋兮騁望，與佳期兮夕張。鳥何萃兮蘋中，罾何爲兮木上？[1] 沅有茝兮醴有蘭，思公子兮未敢言。荒忽兮遠望，觀流水兮潺湲。[2] 麋何食兮庭中，蛟何爲兮水裔？朝馳余馬兮江臯，夕濟兮西澨。[3]

【注釋】

1 登：同"蹬"，踩。　白蘋：草名，生長在南方江河湖沼的水濱，是雁的食物。蘋，音煩 fán。　騁望：縱目遠望。　與：同。　佳：古語女人稱心愛的男人爲佳，文中指湘君。　期：訂

16

約。　夕張：黄昏時灑掃張施帷幄以待幽會。　萃：止。　蘋：水草。　罾：音增 zēng，一種支撐式的魚網。魚網應置水中，鳥兒應落樹上，文中用鳥入水中、網掛樹上，比喻事與願違，同湘君的約會竟是悖謬舛錯了。這是因湘君不來而發的愛恨交織的話。

"登白蘋"四句說：踏着白蘋縱目遠望，我同情人的幽會已約定在黃昏。為什麼鳥兒落在蘋草之中，魚網張掛到了樹上？

2 沅：沅水。　茝：同"芷"。　醴：同"澧"，澧水。　蘭：蘭草。　公子：指湘君。　"沅有茝兮"二句，猶《越人歌》"山有木兮木有枝，心悅君兮君不知"，前一句乃起興之詞。荒忽：同"恍惚"，心緒迷惘不定貌。　遠望：形容湘夫人盼望湘君的急切心情。

"沅有茝"四句說：沅水邊生着白芷，澧水邊長着香蘭，為什麼我思念你卻不敢明說！我心神恍惚極目遠眺，只見江水緩緩地流過。

3 麋：音迷 mí，即麋鹿，似鹿而大，生長於山林中。　庭：庭院。　蛟：古代傳說中的動物，似龍而無角，據說蛟潛伏於深淵大澤中，輕易不露面。　水裔：指岸邊的淺水。裔，邊。麋與蛟是湘夫人自喻。"麋何"二句乃湘夫人等湘君不至而發的牢騷，意謂：我不該來這裏赴約！　濟：渡河。　澨：音是 shì，水涯的高岸。

"麋何食"四句說：麋鹿怎麼會來庭院覓食，蛟龍怎麼會淪落在水邊？我早晨在江邊騎馬馳騁，黄昏渡江去河西的高岸。

以上十二句是第二段。寫湘君不至，湘夫人由熱烈的期待變為深切的怨望和惆悵。

聞佳人兮召予，將騰駕兮偕逝；築室兮水中，葺之兮荷蓋。[1] 蓀壁兮紫壇，播芳椒兮成堂；桂棟兮蘭橑，辛夷楣兮藥房；罔薜荔兮為帷，擗蕙櫋兮既張。[2] 白玉兮為鎮，疏石蘭兮為芳。芷葺兮荷

屋，繚之兮杜衡。³合百草兮實庭，建芳馨兮廡門。九嶷繽兮並迎，靈之來兮如雲。⁴

【注釋】

1 佳人：指湘君。　予：湘君自謂。　騰：馬兒奔騰前進。駕：車駕。騰駕，謂驅車前行。　偕逝：同往。　葺：音器 qì，修建。　蓋：房頂。

"聞佳人"四句說：忽然聽見情人的召喚，要與我驅車前往水中，建造華麗的居室，用荷葉做成新房的屋頂。

2 蓀壁：點綴着蓀草的牆壁。蓀，香草。　紫：紫貝，有紫色斑點的貝類。　壇：屋前的高臺；或解為中庭。　播：敷布。成：塗抹。《周禮·考工記·匠人》："四旁兩夾窗，白盛。"注："盛之言成也，以蜃灰堊牆，所以飾成宮室。"成堂，文中指用糅有花椒粉的灰泥塗牆。古人認為以椒泥塗牆的房子可以辟除惡氣，袪除疾病；或謂花椒性熱，果實纍纍多子，椒泥塗牆乃取其溫暖多子之意。　棟：屋架的正樑。　蘭：木蘭。　橑：音遼 liáo 或老 lǎo，屋椽。　辛夷：香木名，落葉喬木，高數丈，花碩大而清香，色白而有紅暈，又名木筆。　楣：門上橫樑。　藥：白芷，楚方言稱藥。　罔：同"網"，編結。　帷：圍幕，屋內的帳幔。　擗：音痞 pǐ，分開。　蕙：香草。　櫋：音棉 mián，屋中的隔扇。據上下文義看，"櫋"是指室內的陳設而言，或釋為檐前飾物，似非。"擗蕙櫋"，擗開蕙草做成隔扇。　張：設。

"蓀壁"六句說：蓀草作壁飾，紫貝砌庭壇，芳香的椒泥塗在內室牆壁上；桂樹充棟樑，木蘭當屋椽，辛夷的門框，白芷的臥房；懸掛着薜荔染的帷幔，張設着香蕙編的隔扇。

3 鎮：字也作"瑱"，壓席的玉石。古人席地而坐，貴族人家用琢磨過的美玉來壓坐席，以示雍容華貴。　疏：陳列。　石蘭：香草名。　芳：文中指室內芳香的擺設物，類似今之盆景。　葺：文中是聯綴的意思。　屋：同"幄"，音握 wò，帳幕。　繚：

纏繞。　杜衡：也作“杜蘅”，常綠草本，冬天開小花，暗紫色，味微香。

“白玉”四句説：潔白的玉鎮壓着坐席，石蘭的盆景散發出幽香。荷葉的帷帳點綴着白芷，杜衡繚繞在帷帳上。

4 合：滙聚。　百草：泛指花卉香草。　實：充實，文中是裝點的意思。　建：陳設。　芳馨：芳香四溢的鮮花。　廡：音午 wǔ，堂周圍的廊屋。　九嶷：山名，在今湖南藍山縣西南，為楚國的名山，相傳舜葬於此；文中指九嶷的山神地祇。　繽：繽紛，指九嶷神祇的隨從和儀仗氣派煊赫。　靈：神，指九嶷衆神。

“合百草”四句説：薈萃各種奇葩異草裝點庭院，馨香的花卉陳設在廊下門前。突然，九嶷神祇繽紛煊赫地來迎接湘君，衆神下降冉冉如雲。

以上十八句是第三段。寫湘夫人凝神思念湘君時產生的幻境：湘君忽來召喚，一起到水中營造了清潔的居室，陳設芳香而華美，正欲結百年之好，湘君突然被九嶷的衆神接走；湘夫人從幻覺中驚醒，又墮入無限的悵惘中。

捐余袂兮江中，遺余褋兮醴浦；搴汀洲兮杜若，將以遺兮遠者。時不可兮驟得，聊逍遙兮容與！

【注釋】
　　袂：音妹 mèi，衣袖，文中指外衣。　褋：音蝶 dié，襌衣，汗衫。　搴：採。　汀洲：水中的平地，即洲渚。　遺：贈。　遠者：指在遠方不至的湘君。　時：機會。　驟：數次。

“捐余袂”六句説：將我的衣袂投進江心，把我的汗衫丟到醴水之濱。採擷汀洲上的杜若，贈給遠方的愛人。機緣錯過難再得，我且逍遙自在求取歡愉。

這六句是末段。寫湘夫人等湘君不來，更思念湘君；捐袂棄褋固然是怨望之語，然而袂、褋乃湘夫人貼身衣物，捐之棄之，

19

作爲信誓，表達她對湘君的一片痴情和期望。

　　"捐余袂"六句與《湘君》末六句大概都是巫覡們的合唱。用合唱的形式，反覆歌詠湘夫人與湘君之間的深情，以突出主題，給人以特別深刻的印象。

大　司　命

　　本篇是祭祀大司命神的唱詞。大司命是生命之神，主掌人的生死壽夭。古人祭祀大司命，大抵是爲着祈求長壽延年的。

　　楚人祭祀大司命的風氣頗爲盛行。《史記·封禪書》："荆巫祠堂下、巫先、司命、施糜之屬。"《漢書·郊祀志》："荆巫有司命。"此外，《莊子·至樂》有這樣一段記載："吾使司命復生子形，爲子骨肉肌膚，反子父母妻子閭里知識，子欲之乎？"莊子是宋國人，他也提到司命，足見不僅楚人信奉大司命，別的地區大概也有信奉的。

　　本篇生動地描繪了祭者祈請長壽的思想活動。特別是對臨近暮年之人乞求大司命益壽延年的心理，刻劃得尤爲出色。文中沒有提到祭祀的具體情節。但是，由於人人都關心自己壽命的長短，因此可以推想，這種祭典一定很隆重，或許會經常舉行，以顯示祭者的虔誠，達到長壽的目的。

　　廣開兮天門，紛吾乘兮玄雲。令飄風兮先驅，使涷雨兮灑塵。

【注釋】

　　廣開：大開。　　天門：天帝居住的紫微宮的宮門。　　紛：紛亂，形容大司命出行時從車衆多，氣派盛大。　吾：大司命自稱。

乘：音剩 shèng，古代一車四馬爲一乘，文中指大司命的座車。

玄雲：車下的祥雲。《漢書·禮樂志·郊祀歌》：“靈之車，結玄雲，駕飛龍，羽旄紛。”玄，黑色。　飄風：旋風。　凍雨：暴雨。凍，音東 dōng。　灑：同“洗”。

“廣開”四句用大司命的口吻說：敞開天門，長長的車隊依托着玄雲。令旋風爲我開路，讓暴雨替我洗塵。

這四句是第一段。寫大司命自天宮中出來，驅風降雨，十分神氣。

　　君迴翔兮以下，踰空桑兮從女。紛總總兮九州，何壽夭兮在予。[1]高飛兮安翔，乘清氣兮御陰陽。吾與君兮齋速，導帝之兮九坑。[2]雲衣兮被被，玉佩兮陸離。壹陰兮壹陽，衆莫知兮余所爲！[3]

【注釋】

　　1 君：指大司命。　踰：越過。　空桑：神話中的山名。一說空桑在山東曲阜一帶，春秋時爲魯地，戰國時爲齊地。　從女：指追隨大司命祈求長壽之福。女，同“汝”，謂大司命。　紛總總：形容地域廣大人烟稠密。總總，同“總總”，聚集貌。　九州：傳說中我國古代的地域區劃，歷代說法不一，至今尚無定論。據《尚書·禹貢》，九州爲冀、兗、青、徐、揚、荆、豫、梁、雍。《禹貢》記載的九州大概是西周時的區域規劃。又《呂氏春秋·有始》載：“何謂九州？河、漢之間爲豫州，周也；兩河之間爲冀州，晉也；河、濟之間爲兗州，衞也；東方爲青州，齊也；泗上爲徐州，魯也；東南爲揚州，越也；南方爲荆州，楚也；西方爲雍州，秦也；北方爲幽州，燕也。”這顯然是春秋戰國時政治地緣的區劃。關於九州的以上二說僅供讀者參酌。文中的九州乃泛指中國。　壽：長壽。　夭：短命。　予：音與yǔ，即生殺予奪的予。何壽夭兮在予，爲什麼人的壽夭都歸你大司命掌握？予或釋爲“我”，乃大司命自謂，則“紛總總”二句爲大司命的話。

“君迴翔”四句說：君盤旋翔翔而下，我飛越空桑向你頂禮。遼闊的大地，衆生芸芸，爲什麼人的壽夭都歸你賜予。

2 安：徐緩。 陰陽：即“陰陽風雨晦明”的省文。古人以“陰陽風雨晦明”爲六氣，指氣象而言。 吾：祭巫自稱。 君：指大司命。 齋速：疾速。 帝：天帝，即東皇太一。 之：往。九坑：即九岡山，又叫岡山，地近郢都，是楚國祭祀的處所。坑，同“岡”。《古今圖書集成·職方典·荆州府·山川考二》：“九岡山去（松滋）縣治九十里，秀色如黛，蜿蜒虬曲。”《左傳》昭公十一年：“冬十一月，楚子滅蔡，用隱太子於岡山。”文中泛指祭所，非特指九岡山。

“高飛”四句說：在高朗的天空緩緩翔翔，乘天地的清氣駕御着陰陽。我同君疾速飛馳，引導天帝前往祭祀的地方。

“君迴翔”八句，乃祭巫表達祭者願望的話。祭者切望天帝與大司命一道光降祭壇，賜福於己。

3 雲衣：有的版本作“靈衣”，今據《太平御覽》六九二卷引文校改。 被被：同“披披”，紛披飄舉貌。 陸離：色彩斑爛貌。 壹：或。 陰陽：明暗。一陰一陽，猶言若明若暗、乍隱乍現。 衆：指天下衆人。 余：大司命自稱。莫知所爲，誰也不知道大司命的變化和作爲，即祭者的壽命在大司命秘密掌握之中，無從捉摸的意思。

“雲衣”四句是大司命的話，說：彩雲的衣裳飄蕩飛揚，美玉的佩飾閃着斑爛的光芒。或隱或現變幻無常，沒有誰曉得我的動止和行藏！

以上十二句是第二段。寫巫覡迎接大司命降臨祭壇。

折疏麻兮瑤華，將以遺兮離居。老冉冉兮既極，不寢近兮愈疏。[1]乘龍兮轔轔，高馳兮沖天。

結桂枝兮延竚，羌愈思兮愁人。[2]愁人兮奈何，願若今兮無虧。固人命兮有當，孰離合兮可爲！[3]

【注釋】

1 疏麻：神麻。 瑤華：美玉似的花朵。相傳疏麻的花色白而芳香，服食可以長壽。 遺：音衛 wèi，贈。 離居：猶言分離，指大司命將從祭壇遠逝，與祭者分別。折疏麻之花贈送大司命，係表示親近、向其祈求長壽的意思。 冉冉：緩緩移動貌。 既：已經。 極：至。 寖：同"浸"，漸漸。 疏：疏遠。"老冉冉"兩句勾畫出祭者亟盼長壽畏懼死亡的心理：同大司命親昵則長壽，疏遠則短折。

"折疏麻"四句說：折一枝神麻的白花，遺贈即將遠逝的大司命。衰老已漸漸來到，不與君親近則日見疏遠。

2 龍：指以龍拉的車駕。一說馬八尺稱龍。 轔轔：音林 lín，行車的輪聲。 冲：音充 chōng，鳥直飛高空。 結：持。 桂：桂樹。 延竚：遷延久立。竚，音注 zhù。 羌：將。

"乘龍"四句說：乘上龍車，輪聲轔轔，大司命直上霄漢。我拿着桂枝遷延竚立，越思越想越憂愁。

3 無虧：猶言無恙，指不死。 虧：損。 固：本來。 命有當：猶言命有定數。當，音蕩 dàng，不多不少恰如其分。 離合：猶言親疏。大司命降臨祭壇歆享祭品爲"合"，享畢而去爲"離"；合則親，離則疏。"離合"在文中是偏義複詞，"離"是襯詞，無義，只有"合"具實際意義。 孰：豈。"固人命"二句，意謂大司命不以親而增人之壽，不因疏而減人之年，雖欲長壽然而毫無辦法。

"愁人"四句說：憂慮也無可奈何，願未來似今朝平安無禍。壽夭本由大司命定就，我欲延年又有什麼辦法！

以上十二句是第三段。寫祭者向大司命要求賜壽，而大司命高揚遠引，引起惶懼和感嘆。

少 司 命

少司命是司愛之神。

本篇是讚美少司命，並向其求愛的祭歌。但篇中關於祭者與少司命的愛情的描述，全係設想之詞。咏唱神人之間的愛情，實際是歌頌與祭的男女之間的愛情。請看："滿堂兮美人，忽獨與余兮目成。入不言兮出不辭，……悲莫悲兮生別離，樂莫樂兮新相知"，這不明明是現實生活的描寫麼？

上古時代，曾有過在神前交媾或"會男女"的習俗，實行之前必先祭神。《詩·商頌·玄鳥》"天命玄鳥，降而生商"傳："湯之先祖有娀氏女簡狄，配高辛氏帝，帝率與之祈於郊禖而生契。"高辛氏與簡狄在神前婚媾，大約當時有這種風俗。其所祭的神，可能即少司命一類。古代還有定期實行開放性交媾的婚配制度。《周禮·地官》："媒氏，掌萬民之判，……中春之月令會男女。於是時也，奔者不禁。若無故而不用令者，罰之；司男女之無夫家者而會之。"這樣的大事，事前也必定有祭祀活動，受祀的神靈，恐怕也是少司命之屬。這種在神前婚媾或"會男女"的事，顯然是古代氏族社會盛行過的伙婚制度的遺風。《少司命》這首祭歌，大概就是楚人在類似場合舉行祭典時所唱的。

秋蘭兮麋蕪，羅生兮堂下。綠葉兮素華，芳菲菲兮襲予。[1]夫人自有兮美子，蓀何以兮愁苦？[2]

【注釋】

1 麋蕪：草本植物，葉小而芳香，也作"蘪蕪"或"麋蕪"。

羅：分佈。　　素：白色。　　華：同"花"。　　襲予：（香氣）沁襲我。予，祭巫自稱。

"秋蘭"四句說：芳潔的秋蘭和蘪蕪，羅列生長在祭堂前。綠的葉子白的花，一陣陣香氣襲人。

2夫：音扶 fú，彼。夫人，猶言人人。　　子：美好的男子，文中指配偶。　　蓀：香草，喻少司命。　　愁苦：指因獨身無偶而悲苦。

"夫人"兩句說：人人都有漂亮的配偶，您為什麼獨自悲苦？

以上六句是第一段。寫祭堂一片芬芳，祭者請少司命快來歡會，莫再獨自淒涼。

　　秋蘭兮青青，綠葉兮紫莖。滿堂兮美人，忽獨與余兮目成。[1]入不言兮出不辭，乘回風兮載雲旗。悲莫悲兮生別離，樂莫樂兮新相知。[2]

【注釋】

1青青：同"菁菁"，音精 jīng，茂盛。　　美人：品貌兼優的人。　　忽：指驟然發現對方向己傳情。　　目成：以眉目傳情的方式結為相好。

"秋蘭"四句說：芳潔的秋蘭鬱鬱菁菁，濃綠的葉子紫色的花莖。滿堂都是美男子，你單獨向我秋波送情。

2入：進入歡會場所。　　出：離開。　　辭：告別。　　回風：旋風。　　載：插的意思。　　雲旗：畫有彩雲圖案的旗子。　　相知：相好。

"入不言"四句說：你進來不說話，出去也不告辭。你乘車御風，雲旗飄飄地遠去。悲痛莫過於生別離，歡樂莫過於結識新相知。

以上八句是第二段。追述同少司命合歡的情景與離別之苦。

　　荷衣兮蕙帶，儵而來兮忽而逝。夕宿兮帝郊，君誰須兮雲之際？[1]與女沐兮咸池，晞女髮兮陽之阿。望美人兮未來，臨風怳兮浩歌：[2]孔蓋兮翠旍，登九天兮撫彗星，竦長劍兮擁幼艾，蓀獨宜兮爲民正。[3]

【注釋】

1 荷衣蕙帶：指少司命的衣飾。 儵：同“倏”，音書 shū，極快。 忽：飄忽。 逝：去。 帝郊：天帝住所的外邊。 君：指少司命。 須：等待。 雲之際：猶言雲端。“君誰”句，表達祭者望少司命勿移情他人，願長垂青於己的意思。

“荷衣”四句說：身著淸荷的衣裳繫着芳香的蕙帶，你飄然遠逝又驟然而來。黃昏投宿於天宮的郊外，你到高高的雲端等待誰？

2 女：同“汝”，謂少司命。 沐：沐浴。 咸池：神話中的池名，傳說太陽在那裏沐浴。 晞：音希 xī，乾。 女：同“汝”。 陽：太陽。 阿：音婀 ē，曲阿，神話中太陽經過的地方。《淮南子·天文》：“日出於暘谷，浴於咸池，拂於扶桑，是謂晨明。登於扶桑，爰始將行，是謂朏明。至於曲阿，是謂旦明。” 美人：指少司命。 怳：音恍 huǎng，惝怳，失意不快。 浩歌：猶言高歌。

“與女”四句說：我想：在咸池同你沐浴，在陽光熾烈的曲阿曬乾你的頭髮。盼望着你却至今不來，臨風惆悵，我只吭高歌。

3 孔蓋：孔雀羽毛製的車蓋。蓋，古人座車上的一種傘狀頂蓋，用以遮擋雨露驕陽，兼裝飾座車；或稱車蓋、傘蓋、華蓋。翠旍：翡翠鳥羽毛做的旌旗，旍，同“旌”。 九天：天的最高處。 撫：鎮壓。 彗星：一種繞太陽運動的天體，分彗核和彗尾兩部份，彗尾拖長，形如掃帚；古人認爲彗星是災禍的象徵。撫彗星，鎮妖星，掃災禍之意。 竦：音聳 sǒng，立。 竦長劍：執長劍。 擁：保護。 幼艾：小孩。《禮記·曲禮上》：“五十曰艾。”近人章炳麟《小學答問》：“老爲艾，幼亦爲艾。”

宜：相稱。　民：人，祭者自謂。　正：音征 zhēng，箭靶的中心，目標。

"孔蓋"四句是歌頌少司命的唱詞的內容：車上撐着孔蓋飄揚着翠旌，你昇上九天鎮壓妖星，手仗長劍護衛着幼童，少司命，唯有你才是我憧憬的神明！

以上十二句是末段。寫祭者思念和讚美少司命。

河　伯

河伯是黃河的水神。《河伯》描寫黃河男性水神與某女性水神的愛情故事。據詩義推測，女性水神似乎是黃河某支流的水神。黃河支流很多，但富於神話傳說的，主要是渭水、洛水和伊水。因此，女水神可能是此三水中某水之神。

楚人不祭黃河，直至春秋末葉的楚昭王時代都是如此。《左傳》哀公六年："初，昭王有疾。卜曰：'河爲崇。'王弗祭。大夫請祭諸郊，王曰：'三代命祀，祭不越望。江、漢、雎、漳，楚之望也。禍福之至，不是過也。不穀雖不德，河非所獲罪也。'遂弗祭。"從這段史料我們知道：古人只祭那些同己利害攸關的神靈。黃河遠離楚地，楚人認爲河伯與己利害無關，所以不祭它。

但是，《河伯》爲什麼出現在屈原的作品中呢？我認爲，這是中原文化與荊湘的楚文化融合滲透的結果。我們可試作這樣的推斷：大約當戰國之時，中原地區祭河伯的唱詞傳入楚國，在民間流傳，後被採入宮庭，作爲祭水神的唱詞。此時的"河伯"，已不再是特指黃河水神，而是具有代表荊湘楚地水神的性質了。換言之，"河伯"已變爲泛指江河的水神了。祭河伯的唱詞在其故鄉中原地區已經散佚，却在《楚辭》中被保留下來，這眞是饒有興味的事。

　　與女遊兮九河，衝風起兮橫波。乘水車兮荷蓋，駕兩龍兮驂螭。[1]登崑崙兮四望，心飛揚兮浩蕩。日將暮兮悵忘歸，惟極浦兮寤懷。[2]

【注釋】

　　1 女：同"汝"，謂女水神。　九河：舊釋爲《爾雅·釋水》所載的九條河流：徒駭、太史、馬頰、覆釜、胡蘇、簡、絜、鈎盤、鬲津。但上古"九"字一般泛指多數，屈賦九字也如此用法。例如《離騷》之"雖九死其猶未悔"、《惜誦》之"九折臂而成醫"，均是。因此，文中的"九河"實即泛指河流而言。釋爲上述九水未免過拘。　衝風：暴風。　橫波：揚波。　水車：因是水神乘坐的車，故稱水車，以示其特點。　荷蓋：荷葉傘蓋。　驂：音參 cān，古人用三馬或四馬駕車，套在兩側的馬叫驂。文中驂螭一語，是指以黃螭爲驂的意思。　螭：音吃 chī，古代傳說中的一種無角的龍類動物，黃色。

　　"與女"四句說：我同你到河水中遊戲，乘着暴風揚起的大波。坐上水車張開翠荷的傘蓋，用兩條青龍駕車，以黃螭爲驂。

　　2 崑崙：我國著名的山脈，發端於帕米爾高原，橫貫西藏、新疆間，延伸至青海境內。關於崑崙山，中國古代有許多神話傳說：高三千五百里，是天帝的下都；山上景雲燭日，朱霞流光，有醴泉、華池的聖水，生長着珠樹、玉樹、璇樹、不死樹、沙棠、琅玕等名目繁多的奇花異草；巍峨的九層宮闕，有四百多座門戶，景色秀麗的花園中，豢養珍禽怪獸，或說西王母就住在崑崙山上，等等。總之，傳說中的崑崙山，簡直是人神薈萃的奇境。　心飛揚：形容情愫飄蕩。　浩蕩：形容激情奔放。　悵：迷惘，指由於浸溺於情愛之中而產生的沉迷情緒。　惟：思。　極浦：遙遠的水濱，泛指河伯與女水神幽會的地方。　寤懷：猶言感懷。

"登崑崙"四句說：登上崑崙山向四面眺望，神魂飄蕩激情奔放。日暮黃昏沉醉忘返，回味水濱的幽會，情懷起伏。

以上八句是第一段。寫河伯與女水神歡會出遊，日暮忘歸的情景。

　　魚鱗屋兮龍堂，紫貝闕兮朱宮。靈何爲兮水中？[1]乘白黿兮逐文魚，與女遊兮河之渚，流澌紛兮將來下。[2]

【注釋】

1 魚鱗屋：用魚鱗搭蓋的屋宇。　龍堂：彫刻着龍形圖案的殿堂。　紫貝闕：鑲嵌着紫貝的宮門。紫貝，一種珍貴的貝殼。朱宮：朱紅色的宮殿。　靈：指河伯。　何爲：幹什麼？　水中：指河伯在水中的宮殿。

"魚鱗屋"三句是女水神的問話：魚鱗的屋宇彫龍的庭堂，紫貝的門戶朱紅的宮殿，你帶我來這水晶宮意欲何爲？

2 白黿：大鱉。黿，音元 yuán。　逐：尾隨。　文魚：生有斑紋的魚。　女：同"汝"，指女水神。　河：黃河。　渚：河中的小塊陸地。　流澌：即流水。舊釋"流澌"爲流冰，但據《楚辭·七諫·沈江》"赴湘沅之流澌兮，恐逐波而復東"，流澌顯然是流水的意思。從上下文義看，釋流水似更合理。　紛：多而散亂，形容河水滔滔湧流。

"乘白黿"三句乃河伯的答覆：我們乘上白黿跟隨文魚，一同到河中的洲渚去遊戲，滔滔的水流迎面而來，多麼快活！

以上六句是第二段。寫河伯將女水神帶入水宮瀏覽，而後去河渚遊玩。

　　子交手兮東行，送美人兮南浦。波滔滔兮來迎，魚隣隣兮媵予。

子：指女水神；古代男女都可稱子，有尊敬或愛戴的意思。

交手：拱手，古人見面或告辭時使用的一種禮節。 美人：謂女水神。 南浦：地名，在水邊。 滔滔：水滾滾流動貌。 隣隣：同"鱗鱗"，衆多貌。 媵：音硬 yìng，古代女兒出閣時以奴僕或姪娣陪嫁叫媵，文中是陪伴之意。 予：我們；予用爲自稱代詞的時候，指單數我，也可指複數我們。

"子交手"四句說：你拱手告辭將要東行，我送你到登程的南浦。滔滔的河水來迎接你，鱗鱗的游魚陪伴着我們。離情撩亂，別緒紛紛！

這四句是末段。寫依依難捨的深情。

山　鬼

山鬼，即山中女神之意。鬼字古文作"䰩"，本義是祖宗死後的神靈，後泛指一般的神明。

《山鬼》生動地刻畫了一位傾倒在纏綿悱惻的愛情中的女神形象。她在深山密竹裏過着幽寂孤冷的生活，思念意中人輾轉不寐。她誠實善良，堅貞純潔，忠於愛情。

其實，山鬼本是生活在楚地山丘中的少女幻化出來的文學形象，她是楚國的現實生活和巫風習俗結合的產物。因此，山鬼實爲人世間的少女，只不過蒙上了一層山神的面紗罷了。

《山鬼》語言凝煉，辭彩秀美，把對山鬼的心理刻畫和景物描繪交融起來，情中有景，景裏寓情，眞算得上獨具風格的佳作。

若有人兮山之阿，被薜荔兮帶女蘿。既含睇

兮又宜笑，子慕予兮善窈窕。[1]乘赤豹兮從文狸，辛夷車兮結桂旗。被石蘭兮帶杜衡，折芳馨兮遺所思。[2]余處幽篁兮終不見天，路險難兮獨後來。[3]

【注釋】

1 若：彷彿，似是而非。山鬼是山中女神，飄忽無形，如隱似現，故用"若"。 有：用於名詞前的語助詞，無義。 人：指山鬼。 阿：音婀 ē，山丘的彎曲處。 被：同"披"。 帶：以……爲帶。 女蘿：即菟絲子，攀援性草本植物，莖細長，秋初開花。 含睇：深情地凝視。睇，音弟 dì，微微地斜視。 宜笑：猶言巧笑，形容笑得極美。 子：山鬼心目中的男子。 慕：愛。 予：山鬼自稱。 善：美。 窈窕：音咬朓 yǎo tiǎo，形容女子體態輕盈柔美。

"若有人"四句說：縹緲的人兒住在山丘的曲阿，穿着薛荔的裙裳繫着女蘿的衣帶。深情脈脈凝睇微笑，公子啊，你應愛我美貌窈窕。

2 赤豹：紅毛黑花的豹子。 從：音縱 zòng，率領，文中是跟隨簇擁的意思。文狸：有斑紋的狸貓。 辛夷：香木名。 結：插。 桂：桂樹，文中指桂葉或桂花。 被石蘭：裝飾着石蘭。被，覆被；石蘭，香草。 帶杜衡：以杜衡爲車上的彩帶。杜衡，香草。 芳馨：謂芳香的花卉。 遺：音味 wèi，餽贈。所思：所思念的人。

"乘赤豹"四句說：騎上赤豹隨從着斑斕的狸貓，辛夷的車子插上桂花的旗幟，點綴着石蘭飄揚着杜衡的彩帶，折一枝芳香的花草贈送給情人。

3 余：山鬼自稱。 幽：深。 篁：音黃 huáng，竹林。 後來：猶言遲遲不來，指意中人。

"余處"兩句說：我住在幽深的竹林裏終日不見天光，道路險阻艱難，你遲遲不來會面。

以上十句是第一段。寫山鬼媚人的姿容、芳雅的衣飾和雍容的儀態，以及盼望情人的焦灼心情。

　　表獨立兮山之上，雲容容兮而在下。杳冥冥兮羌晝晦，東風飄兮神靈雨。留靈修兮憺忘歸，歲既晏兮孰華予。[1] 采三秀兮於山間，石磊磊兮葛蔓蔓。怨公子兮悵忘歸，君思我兮不得閒。[2] 山中人兮芳杜若，飲石泉兮蔭松柏。君思我兮然疑作。[3] 雷填填兮雨冥冥，猨啾啾兮狖夜鳴。風颯颯兮木蕭蕭，思公子兮徒離憂！[4]

【注釋】

　　1 表：同“標”，高聳貌。　容容：通溶溶，水流的樣子，這裏形容雲的浮動。　杳：音咬 yǎo，深邃。　冥冥：暗昧不明貌。　羌：却。　飄：形容風驟然而起。　神：謂雨神。　靈：同“霝”，即《詩經》裏“霝雨其濛”的霝，解作落雨。　留：挽留。　靈修：指意中人。靈，卓異；修，美好。　憺：安樂。　歲：年歲。　晏：晚，謂年齡已長。　孰華予：誰再給我華年。“留靈修兮憺忘歸”，乃山鬼想像之詞。

　　“表獨立”六句說：我獨自站立在高山之巔，山下浮動着濃雲。山深天暗，白晝彷彿黑夜一般，東風驟起，神明降下濛濛細雨。我願留你在身邊歡娛忘返，年歲已經遲暮，誰能恢復我青春的容顏！

　　2 三秀：靈芝草的一種。　於山：即巫山。於借爲“巫”，於與巫古音同。巫山，在今川鄂交界處的長江兩岸，是楚國的名山。楚人尊崇巫山，留下不少神話傳說，其中巫山神女的故事最爲著名。巫山有神女峯。　磊磊：石頭叢聚貌。　葛：一種藤本植

32

物。　蔓蔓:形容葛藤的蔓莖蜿蜒繚繞。　公子:山鬼的意中人。
悵:悵惘。　君:指公子。　不得閒:猶言不間斷。閒,同"間",
間歇。

　　"采三秀"四句說:我在巫山採集芝草,巨石磊磊葛藤蔓蔓。
怨望公子薄情惆悵忘返,公子呀,你是否也在綿綿不絕地思念着
我?

　　3山中人:山鬼自稱。　芳杜若:如杜若一樣芬芳。杜若,
香草。　石泉:山石間的泉水。　蔭:庇護,以……爲庇身之地。
　　然疑作:疑信交加,指山鬼對於"君思我"的半信半疑。
　　"山中人"三句說:山中人(山鬼自謂)像杜若一樣芳香,
渴飲淸泉,以松柏爲庭堂。公子你思念着我却不來,究竟你是眞
情還是假意啊?

　　4塡塡:雷聲。　冥冥:細雨迷濛貌。　猨:同"猿"。
啾啾:鳥獸的鳴聲。　狖:音又 yòu,黑色的長尾猿。　颯颯:音
薩 sà,悽厲的風聲。　蕭蕭:風吹動樹木的聲音。　離:同"罹",
遭受。

　　"雷塡塡"四句說:雷聲隆隆,雨絲濛濛,猿狖在深夜啾啾
鳴叫。悽風颯颯吹動木葉發出蕭蕭的響聲,思念公子我徒然懷着
一腔愁苦的幽情!

　　以上十七句是末段。寫山鬼在冷寂深杳的山中,極度懷念意
中人的纏綿情感。

國　殤

　　國殤,爲國捐軀的意思。
　　本篇是悼念楚軍陣亡將士的詩歌。篇中熱烈歌頌楚軍將士大
無畏的英雄氣槪,讚揚他們慷慨赴義的愛國主義精神。文中描寫
的戰鬥場面悲壯感人,寄寓着作者對陣亡將士的深厚感情。

《國殤》雖列入《九歌》之中，但與《九歌》中的其他篇章不同，其實不是祭歌。同《九歌》別的篇章相比，《國殤》沒有祭祀的歌舞場面，沒有祭巫出現，沒有"靈偃蹇"、"靈之來"一類祭祀的用語，通篇都是描述和讚美之詞，風格和語氣都判然有別。那爲什麼成爲《九歌》的一篇呢？大概因其內容是悼念陣亡將士的，因而被人援引用作追悼陣亡者的祭歌，與《九歌》又同爲屈原所作，於是被納入《九歌》裏了。

本詩哀悼的對象當爲楚昭王十年吳楚之戰和楚懷王十七年秦楚丹陽、藍田之役中陣亡的楚軍將士。這兩場大戰在楚國歷史上相當重要：前者丟了首都郢，國力大受影響，後者則成爲楚國一蹶不振的轉折點。屈原是一位偉大的愛國者，對這兩次大戰，不能不銘記心頭，並從中總結出經驗教訓來。當虎狼之秦重兵壓境，祖國危如累卵的時候，他不能不聯想到這兩次戰爭而思緒萬千。他寫作本詩的目的，固然寄托着對殉難將士的哀思，但其主旨更着眼於激勵有志之士爲抗秦存楚而奮戰。

《國殤》的寫作年代，可斷於楚懷王十七年以後。

　　操吳戈兮被犀甲，車錯轂兮短兵接。旌蔽日兮敵若雲，矢交墜兮士爭先。[1]凌余陣兮躐余行，左驂殪兮右刃傷。霾兩輪兮縶四馬，援玉枹兮擊鳴鼓。天時墜兮威靈怒，嚴殺盡兮棄原壄。[2]

【注釋】

1 操：持。　吳戈：春秋時吳國製造的戈，當時這種戈最鋒利。戈是先秦時代的主要兵器，用青銅（銅錫合金）鑄成，橫刃，裝以木質長柄，用以砍擊勾援。　被：同"披"。　犀甲：犀牛皮做的鎧甲。上古的鎧甲用皮革製作，後世漸改用金屬。《荀子·議兵》說"楚人鮫革犀兕以爲甲，鞈如金石"，可知楚軍是以鮫（鯊魚）、犀牛和兕（犀類野獸）的皮革製鎧甲的。　車：戰車。

34

春秋以前用兵車作戰，戰國時出現了步兵和騎兵，但車戰仍然使用。　錯：交錯。　轂：音谷 gǔ，古人稱車輪的輪周爲輞（音網 wǎng），車輪中心插軸的部份爲轂。車錯轂，指兩軍接戰，戰車的軸轂交錯在一起，極言戰鬥之激烈。　短兵接：戰車交錯近戰時，戈之類長兵器用不上，而以刀劍一類的短兵器格鬥。　交墜：紛紛墜落。　士：楚軍將士。

"操吳戈"四句說：手持吳戈身披犀甲，戰車交錯短兵相接。旌旗蔽日敵寇多如雲湧，羽箭紛紛墜地，將士爭先殺敵。

2 凌：侵犯、進攻。　余：我們，文中就楚軍說，猶言我軍。陣：陣列、陣勢。　躐：音列 liè，踐踏，文中是衝擊之意。行：音杭 háng，行列。陣，指楚軍佈的陣勢；行，指步兵的行列。左驂：車駕左側的馬。　殪：音義 yì，斃命。　右：右驂，車駕右側的馬。　霾：同"埋"，指車輪陷於泥土中。　縶：音執 zhí，以繩索絆馬。　四馬：指將帥乘的戰車；將帥的戰車一般用四匹馬拉，士的戰車用三馬或兩馬。　援：拿起。　玉枹：鑲嵌着美玉的鼓槌；車戰中將帥用鼓指揮調遣部隊。　擊鳴鼓：謂楚軍統帥在衆寡懸殊、傷亡慘重的危急關頭，擂動戰鼓，指揮和激勵將士殊死苦戰。　天時墜：王夫之釋爲：大命傾也。墜同懟，亦可釋爲天怨神怒。　威靈怒，謂陣亡將士的神靈對敵人的仇怒未消。　嚴殺：鏖戰痛殺。嚴，威武雄壯。　盡：指楚軍全體陣亡。　棄原埜：棄屍於荒野。埜，同"野"。

"凌余陣"六句說：敵人攻擊我軍的行陣，左驂戰死右驂被兵刃刺傷。車輪深陷駕車的馬也被絆住，但主帥依舊揮玉枹擊戰鼓。戰鬥失利英魂震怒，全軍英勇地戰死，原野橫陳着烈士的屍體。

以上十句爲第一段。寫楚軍與敵激戰的壯烈場面，頌揚楚軍奮勇殺敵的英雄氣概。

出不入兮往不反，平原忽兮路超遠。帶長劍

兮挾秦弓，首身離兮心不懲。[1]誠既勇兮又以武，終剛強兮不可凌。身既死兮神以靈，魂魄毅兮爲鬼雄！[2]

【注釋】

　　1出：出征。　入：指生還。　往、反：與"出"、"入"同義。反，同"返"。　平原：指征途的原野。　忽：音物 wù，同"泯"，遠。　路：征途。　超遠：遙遠。超，同"迢"。　帶：佩。　挾：挾持。　秦弓：秦國出產的弓弩；這種弓很硬，射程遠。據說秦人地近西戎長於射獵，有"南山檀柘"，爲強弓硬弩的良材。　首身離：身首異處。　懲：憾恨。

　　"出不入"四句說：出征殺敵不計生還，原野漫漫征途迢遠。佩帶長劍挾着良弓，身首異處而無所遺恨。

　　2誠：實在是。　以：非常、甚。　武：威武。　終：終究、到底。　凌：凌辱。　神以靈："爲神以靈"的省語，爲神則靈的意思；以，則。　毅：剛毅。　爲鬼雄："爲鬼以雄"的省語，爲鬼則雄的意思。

　　"誠既勇"四句說：實在勇敢，多應威武，終究是剛強不可凌辱。身既戰死，爲神則永遠靈異；魂魄堅毅，爲鬼則長做雄傑！

　　以上八句是第二段。盛讚楚軍將士不計個人利害，長途赴敵，視死如歸，死後亦剛毅威武成爲鬼雄。

禮　魂

禮魂，猶言敬神魂、敬神靈。

《禮魂》是在祭典結束時合唱的祭歌。《禮魂》擺在《九歌》

的末尾，這種形式及其內容說明：《東皇太一》、《東君》、《雲中君》、《湘君》、《湘夫人》、《大司命》、《少司命》、《河伯》與《山鬼》，乃《九歌》的正詞，每篇專祀一位神祇，《禮魂》則是合祭以上九神的尾詞。舉行"禮魂"儀式的具體情況如今已難以弄清楚了。大約當分祭九神的典禮完畢後，鼓樂齊鳴，祭巫們傳遞着享神的花枝，唱着《禮魂》翩翩起舞，表示對諸神的敬意，以結束整個祭典。

　　成禮兮會鼓，傳芭兮代舞，姱女倡兮容與。[1]
春蘭兮秋菊，長無絕兮終古。[2]

【注釋】

　　1 成禮：猶言禮成，禮終；禮，謂祭禮。　會鼓：衆鼓齊擊；鼓，同"鼓"。　傳：傳遞。　芭：同"葩"，祭巫所持的香花；舊釋爲"巫所持香草名"，也通。　代：更迭、依次。代舞，輪番起舞。　姱女：美女，指女巫。　倡：同"唱"。　容與：雍容自在貌。　長無絕：猶言永不絕，謂年年百花芳艷。　終古：等於說千古。"春蘭"二句，其涵義爲神明世世代代永遠賜福。

　　"成禮"五句說：祭禮已畢一齊擊鼓，媚麗的女巫傳着鮮花，輪番地婆娑起舞，縱情歌唱雍容自如。春天的蘭花秋日的金菊，年年芬芳永世不絕。

九　章 ※

橘　頌

　　《橘頌》是屈原現存最早的作品。清新明麗，格調高昂，大
不同於充滿憂思憤懑的中後期作品。詩中"嗟爾幼志，有以異
兮"，"年歲雖少，可師長兮"等句的語氣，都足以證明《橘頌》
是詩人年輕時代寫作的。

　　《橘頌》分兩段。前段着重詠橘，後段着重詠人。其實橘人
不分，旣是詠橘，又是詠人。詩人通過對橘樹的刻劃，用明快的
抒懷言志之筆，塑造了一尊心懷壯志、熱愛祖國、胸襟寬廣、品
德高尙的青年人的肖像。這肖像便是作者自己。屈原最基本的思
想品質，在《橘頌》中都有所反映。可以說，《橘頌》勾畫出了
屈原思想品德的輪廓和雛形。

　　后皇嘉樹，橘徠服兮。受命不遷，生南國兮。[1]
深固難徙，更壹志兮。綠葉素榮，紛其可喜兮。[2]
曾枝剡棘，圓果摶兮。青黃雜糅，文章爛兮。[3]精
色內白，類可任兮。紛縕宜脩，姱而不醜兮。[4]

【注釋】

　　1后：后土；古人稱大地爲后土。　　皇：皇天；古人稱天爲

　　※　九章即九篇的意思，指詩篇的數目而言。

38

皇天。皇，大。　徠：同“來”。《漢書·禮樂志》：“天馬徠，從西極，涉流沙，九夷服。”師古曰：“徠，古往來字也。”服：享用。　受命：指天然賦予的性質。　不遷：指不能從南國移植他鄉。《晏子春秋》：“橘生淮南則爲橘，生於淮北則爲枳。葉徒相似，其實味不同。所以然者何？水土異也。”“受命不遷”即據橘樹的這種性質而言，喻詩人扎根故土，熱愛國家。　南國：南方的侯國。《詩·大雅·常武》：“既敬既戒，惠此南國。”文中泛稱南方，指楚地。

“后皇”四句說：天地化生嘉美的橘樹，結出甘美的果實供人享受。橘樹生於南國，天性不能遷徙。

2 深固：根深柢固。　壹志：志向專一。　素榮：白花。草的花叫榮，引申泛稱花。《管子·內業》：“無根無莖，無葉無榮。”　紛其：猶言紛然，欣喜貌。《方言》十：“紛，喜也。湘潭之間曰紛。”

“深固”四句說：橘樹根柢深固難徙，一心扎根於故土。葉子碧綠花朵白淨，令人紛然喜愛。

3 曾：同“層”。　剡：音掩 yǎn，銳利。　棘：指橘樹的刺。《方言》三：“凡草木刺人，……自關而西謂之刺，江湘之間謂之棘。”注：“《楚辭》曰：‘曾枝剡棘’，亦通語耳。”搏：音團 tuán，楚方言，圓。　青黃：謂橘實的顏色；橘未熟時色青，熟則色黃。　糅：音柔 róu，混雜。　文章：文彩。

“曾枝”四句說：層疊的枝條刺兒尖又尖，纍纍的果實圓又圓。青黃間錯，文彩斑爛。

4 精：音欠 qiàn，同“綪”，赤黃色。　內：內瓤。　白：純潔。“精色內白”喻詩人的品質。　類：似。　可任：指德醇行美可委以重任的人。　紛縕：形容枝葉繁茂。　宜：合適。脩：同“修”，美。　姱：美好。　不醜：沒有同類。醜，類。

“精色”四句說：紅黃的顏色純潔的內瓤，類似可委以重任的人。枝葉茂密風姿多采，再也找不到與你一樣美的同類。

以上十六句爲第一段。寫橘樹的秉性、外觀和果實。嘉美的橘樹即詩人的寫照。

嗟爾幼志，有以異兮。獨立不遷，豈不可喜兮。[1]深固難徙，廓其無求兮。蘇世獨立，橫而不流兮。[2]閉心自慎，不終失過兮。秉德無私，參天地兮。[3]願歲並謝，與長友兮。[4]淑離不淫，梗其有理兮。[5]年歲雖少，可師長兮。行比伯夷，置以為像兮。[6]

【注釋】

1 嗟：感嘆詞。　爾：你，屈原自謂。　獨立：比喻卓異超羣。　不遷：謂志趣不變。王逸注："屈原言己之行度獨立堅固，不可遷徙，誠可喜也。"洪興祖補注："自此以下，申前義以明己志。"

"嗟爾"四句說：驚嘆你幼年的志趣，便與常人不同。卓異超羣志向堅定，豈不是很可喜的嗎？

2 廓其：廓然，廣大空闊貌。　無求：無所追求，謂不謀求私利。　蘇：死而復生。《左傳》宣公八年："晉人獲秦諜，殺諸絳市，六日而蘇。"文中是醒悟、認識之意。　世：世事。　橫：不順，謂不隨俗，即"獨立不遷"之意。　流：無固定見解，隨他人的意見而搖擺。

"深固"四句說：思想精深，志向牢固，廓然的胸懷無所私求。覺悟到世情污濁，我要獨立於世而不隨波逐流。

3 閉心：固守心志，謂不受世俗的影響。　不終：猶言至死不……。　失過：失足犯錯誤。　秉德：保持美德。秉，持。　參：同……齊等。

"閉心"四句說：固守志節謹慎行止，終生不犯過失。保持美德無私無慾，品行可與天地比美。

40

4 歲：歲月。　並：一起。　謝：辭去。　長友：指與橘樹永遠爲友。

"願歲"兩句說：願一起度過未來的歲月，結爲至友長相伴從。

5 淑離：鮮明灼爍貌。　淫：亂，過分。　梗其：梗然，堅挺的樣子。　理：條理秩序。王逸注："善持己行，梗然堅强，終不淫惑而失義也。"

"淑離"兩句描寫橘樹，說：鮮明灼爍但不妖冶，堅貞挺秀條理分明。實則是詩人自喻，說：品性卓犖不淫亂，行事堅定有軌範。

6 師長：二字均爲動詞，當做榜樣的意思。洪興祖補注："言可爲人師長。"　行：音杏 xìng，品性。　伯夷：古人名。傳說爲堯舜時的秩宗，主管宗族事務與祭祀、典禮等國之大事。《國語·鄭語》："伯夷能禮於神，以佐堯者也。"《史記·五帝本紀》："舜曰：'嗟！伯夷，以汝爲秩宗，夙夜維敬，直哉維靜絜。'"屈氏宗族在楚國世任宗祝一類職務，與伯夷的職務近似，伯夷又是古代名臣，故屈原以他爲師表。屈原用這個典故，表示他願如伯夷佐堯舜那樣輔弼楚王。王逸謂伯夷爲商末周初諫武王伐紂者。因他認爲《橘頌》是屈原流放之後的作品，故主此說，其實不對。　像：楷模。

"年歲"四句說：橘樹的年歲雖然幼小，却足以做我的榜樣。橘樹的品性可同伯夷相比，我要奉之爲學習的表率。

以上二十句爲第二段。寫自己的思想品德和志願。

惜　誦

《惜誦》是懷王時的作品。據內容看，大約是詩人被讒見疏後不久寫的。

在《惜誦》中，詩人揭露和斥責權臣貴戚打擊誣陷忠良，欺君罔上的醜行，抒寫“竭忠誠以事君”的衷情，申述“作忠以造怨”的冤屈。此時的詩人，對懷王還抱着很大的希望，期待他能洞察眞相，明辨是非，爲自己平冤雪枉。

　　惜誦以致愍兮，發憤以抒情。所非忠而言之兮，指蒼天以爲正。[1]令五帝以枅中兮，戒六神與嚮服。俾山川以備御兮，命咎繇使聽直。[2]

【注釋】

　　1 惜：愛、喜好。《呂氏春秋·長利》：“我，國士也，爲天下惜死；子，不肖人也，不足愛也。”注：“惜，愛也；愛，亦惜也。”　誦：諫諍。《國語·楚語》：“臨事有瞽史之導，宴居有工師之誦。”韋昭注：“誦，謂箴諫時世也。”　致：招致。　愍：音敏 mǐn，憂患。　憤：憤懣。　所：指代直言進諫的事。　蒼天：《詩·王風·黍離》：“悠悠蒼天，此何人哉！”傳：“據遠視之蒼蒼然，則稱蒼天。”　正：同“證”。“所非”兩句是誓詞。楚人信神奉巫，指天誓日乃是相當鄭重的事。屈原在含冤忍辱極度悲憤之中，便發誓以自明。

　　“惜誦”四句說：因愛勸諫君王而招致禍患，我要抒發內心的憤懣和不平。我的規勸若非出於忠心，我敢指蒼天來作證。

　　2 五帝：東、西、南、北、中五方之神。相傳東方爲太皞，西方爲少昊，南方爲炎帝，北方爲顓頊，中央爲黃帝，合稱五帝。　枅：同“折”。《史記·孔子世家》索隱，解“折中於夫子”引此句，枅作折。　中：音仲 zhòng，公正。　戒：告請。　六神：六宗之神。《尚書·舜典》：“禋於六宗。”傳：“其祀有六：謂四時也，寒暑也，日也，月也，星也，水旱也。”所祀六者即古之六宗神。　嚮：對着、當面。　服：認可。嚮服，當面評斷，雙方認可，意謂評出是非來。　俾：音比 bǐ，使。　備：充當，放在……位置上。　御：治理，文中指主持裁判者。　咎繇：音搞搖 gǎo yáo，即皋陶，傳說是虞舜時執掌刑法的臣子，後成爲禹的重要助手。　聽：判斷。　直：是非曲直。

"令五帝"四句說：讓五帝來分析是非，請六神當面評理。使山川之神充任法官，叫公正的咎繇判斷曲直。

以上八句是第一段。寫詩人橫遭冤枉心情悲憤，於是指天誓日，提請神明判決是非。

竭忠誠以事君兮，反離羣而贅肬。忘儇媚以背眾兮，待明君其知之。[1]言與行其可迹兮，情與貌其不變。故相臣莫若君兮，所以證之不遠。[2]吾誼先君而後身兮，羌眾人之所仇。專惟君而無他兮，又眾兆之所讎。[3]壹心而不豫兮，羌不可保也！疾君親而無他兮，有招禍之道也！[4]

【注釋】

1 離羣：指同上官大夫、靳尚、子蘭等反對派矛盾對立起來。贅肬：身上多餘的肉。肬，同"疣"。　忘：文中是鄙棄之意。儇媚：輕佻諂媚。儇，音宣 xuān，輕浮。　背眾：違背眾人的意願。眾，指反對派。

"竭忠誠"四句說：竭盡忠誠事奉君王，反遭孤立被人看作贅瘤。我厭惡阿諛諂媚因而不合眾人心意，期待明君能理解我的忠心。

2 可迹：可追尋踪迹，即可以考查的意思。　情：指內心世界。　貌：外觀，指表現。王逸注："志願爲情，顏色爲貌。變，易也。言己吐口陳辭，言與行合，誠可循迹，情貌相副，內外若一，終不變易也。"　證之不遠：君臣朝夕共事，君對臣應瞭如指掌，故言"證之不遠"。

"言與行"四句說：我的言行有事實可供稽考，內心外表也不會驟然改變。瞭解臣下莫若君王，因爲證據就在君王的身邊。

3 誼：同"義"，本份。　羌：發語詞，在此有轉折的語氣，略等於"乃"、"却"。　惟：思。　衆兆：猶言衆人。兆，多的意思。《尚書·五子之歌》："予臨兆民，懍乎若朽索之馭六馬。"傳："十萬曰億，十億曰兆，言多。"　讎：音愁 chóu，仇。王逸注："言己專心思欲竭忠情以安於君，無有他志，不與衆同趣，故爲衆所怨讎。"

"吾誼"四句說：我照本份盡職，先君後己，却引來衆人的仇怨。一心念着君王，不意又成了衆矢之的。

4 豫：欺詐。《周禮·地官·司市》"平肆展成奠賈"注："整勅會者，使定物賈〔價〕，防誑豫也。"《鹽鐵論·禁耕》："敎之以禮，則行道有讓而工商不相豫。"二例之"豫"均爲欺詐之意。舊釋"豫"爲猶豫，謂二心，也通。　疾：急。君親：唯君是親。

"壹心"四句說：一心爲君不懷私詐，却不能保全自己！我亟望親近君王全無別的打算，反倒成爲招禍的根源！

以上十六句爲第二段。寫獲罪蒙寃的原因。

思君其莫我忠兮，忽忘身之賤貧。事君而不貳兮，迷不知寵之門。[1]忠何罪以遇罰兮，亦非余心之所志。行不羣以巓越兮，又衆兆之所咍。[2]紛逢尤以離謗兮，謇不可釋也。情沈抑而不達兮，又蔽而莫之白。[3]心鬱邑余侘傺兮，又莫察余之中情。固煩言不可結詒兮，願陳志而無路。[4]退靜黙而莫余知兮，進號呼又莫吾聞。申侘傺之煩惑兮，

44

中悶瞀之忳忳。[5]

【注釋】

1 "思君"句：王逸注："言衆人思君皆欲自利，無若己欲盡忠信之節。" 忽：忽略不在意。 賤貧：楚國一般是由王族貴戚掌握政權，他們都出身於所謂高貴的門庭。屈原的反對派中，如懷王少子令尹子蘭和其母鄭袖，身份極爲尊貴。屈原雖出身於屈姓貴族，但他同懷王的血緣關係則很疏遠，在看重血緣關係的上古時代，同子蘭等人相比，他的門第顯然比較寒微。按他的身份，不應與門第高貴的權臣同列，更乏掌握樞要之資格。屈原雖以"賤貧"的資歷充任重臣，但他並不因此氣餒，仍兢兢業業盡忠於國家，所以他說"忽忘身之賤貧"。請讀者參看《離騷》注釋中的《屈原世系表》。 貳：貳心。《尚書·五子之歌》："太康尸位以逸豫，滅厥德，黎民咸貳。"傳："君喪其德，則衆民皆貳心。" 迷：迷惘，不懂。 寵之門：邀寵的門徑。《史記·屈原傳》說，"上官大夫與之同列，爭寵而心害其能。懷王使屈原造爲憲令，屈平屬草稿未定。上官大夫見而欲奪之，屈平不與，因讒之曰：'王使屈平爲令，衆莫不知，每一令出，平伐其功，以爲非我莫能爲也。'王怒而疏屈平。"屈原從此被懷王疏遠，這件事給屈原的刺激一定很深。"事君而不貳兮，迷不知寵之門"，就是向懷王解釋此事，表白忠心的，並用一個"寵"字點出上官大夫等人是因爭寵而陷害自己的。

"思君"四句說：體恤君王誰也沒有我忠心耿耿，連貧賤的身份也忽略不計。事奉君王不懷二心，更不懂諂媚邀寵的門道兒。

2 志：識、理解。 巔越：墜落。 咍：音孩 hāi，嗤笑。王逸注："楚人謂相啁笑曰咍。"

"忠何罪"四句說：忠誠何罪却遭到懲罰，這眞不是我所能理解的。因行事不合羣而栽了觔斗，又變成衆人嘲弄的對象。

3 紛：紛亂，形容多。 逢：遭遇。 尤：過錯，文中是責難的意思。 離：同"罹"。 謇：同"譾"，音見 jiàn，巧於

45

辭令。　釋：解釋。　沈抑：抑鬱。　達：暢快。　蔽：謂羣奸蒙蔽懷王。

「紛逢尤」四句說：責難和譭謗紛紛而來，縱使伶牙俐齒你也辯不清。心情抑鬱而不快，君王被蒙蔽着又無法自白。

4 鬱邑：憂愁糾結不解。邑，同「悒」。　侘傺：音岔赤 chà chì，惆悵失意貌。　固：實在。　煩：多。　結：同「緘」，書札。　詒：同「貽」，音移yí，贈送。　志：心志。

「心鬱邑」四句說：我內心憂鬱情緒惆悵，沒有人體諒我的衷情。心裏的話兒實在多，不能一一寫成書信呈給君王，切望陳述心志但無路可通。

5 退：謂隱忍加給自己的一切。　余：我。　知：知曉實情。　號呼：疾呼申辯。　聞：聽。　申：身，此指面目表情。　煩惑：猶言煩悶迷惑。　瞀：音冒 mào，神志昏亂。　中：內心，與「申」相對。　忳忳：音屯 tún，煩悶貌。

「退靜默」四句說：退而保持緘默吧，無人瞭解我的寃情；進而疾呼申辯吧，無人傾聽我的聲音。我情思煩亂，內心苦悶迷惘。

以上二十句是第三段。寫詩人憂痛失意的心情和進退無路呼告無門的困境。

　　昔余夢登天兮，魂中道而無杭。吾使厲神占之兮，曰：「有志極而無旁。」[1]「終危獨以離異兮？」[2]曰：「君可思而不可恃。故眾口其鑠金兮，初若是而逢殆。[3]懲於羹而吹虀兮，何不變此志也？欲釋階而登天兮，猶有曩之態也！[4]眾駭遽以離心兮，又何以爲此伴也？同極而異路兮，又何以爲此援也？[5]晉申生之孝子兮，父信讒而不好。行婟

46

直而不豫兮，鯀功用而不就。"[6]

【注釋】

　　1 登天：比喻實現政治理想。　中道：半途。　杭：同"航"，渡。《詩·衛風·河廣》："誰謂河廣，一葦杭之。"傳："杭，渡也。"文中指登天的階梯；登天之梯喻懷王。無杭，意謂失去了懷王的支持。　屬神：巫覡。　志極：志向宏偉。極，高遠。旁：助手。"曰有志"句，是屬神對占問的答覆。

　　"昔余夢"四句說：昔日我曾夢見登天，夢魂攀登到半途便失去了階梯。我請屬神爲我占卜，兆詞（即占卜的結果）說："你有宏偉的志向，然而無人佐助。"

　　2 終：結局。　危獨：危難孤獨。　離異：離棄。

　　這句是卜詞，問：我的結局會不會危難孤獨，被人拋棄？

　　3 恃：依靠。　鑠：音朔 shuò，熔化金屬。　金：在上古一般指銅。衆口鑠金，古代成語，謂讒毀之言可置人於死地。《文選·鄒陽·獄中上書自明》："故偏聽生姦，獨任成亂。昔魯聽季孫之說而逐孔子，宋信子冉之計囚墨翟。夫以孔墨之辯，不能自免於讒諛，而二國以危。何則？衆口鑠金，積毀銷骨。"注："《國語》泠州鳩曰：'衆心成城，衆口鑠金。'"　初：當初，指屈原未獲罪之前。　若是：因此。是，此，指衆口鑠金。　殆：音代 dài，危險。

　　"君可思"至"功用而不就"都是兆詞。

　　"君可思"三句說：君王可思念但不可依靠。因爲讒言可畏，衆口鑠金，你當初便因遭讒言而獲罪。

　　4 懲：以……爲戒。　羹：指熱湯。　齏：音基 jī，同"𪌐"，一種和有薑蒜等辛辣菜蔬的醬類食品。　釋：丟掉。　階：梯。

　　曩：音攮 nǎng，昔日。釋階登天，屈原若欲實現其政治抱負，則必須靠懷王的支持，這就得變忠直爲諂媚之態，以博取懷王的好感，然而屈原決不肯如此做。因此，屈原抱着遠大志向不放，猶如釋階而登天，是不可能的。"欲釋階"二句，乃是奉勸屈原

47

放棄固有的理想，採取明哲保身之道的意思。

"懲於羹"四句說：誠於熱羹燙嘴，吃冷葅也要吹一吹，為何你明知忠直招禍，却不改變忠直的志節？想不靠梯子登天，你還是疇昔的處世態度！

5 眾：指曾經一度支持屈原，後又倒向反對派的朝臣，即《離騷》"哀眾芳之蕪穢"的"眾芳"。　駴遽：驚惶害怕。　以：而。　伴：音叛 pàn，同"畔"，與下文"援"本是一個疊韻聯綿字：畔援。《詩·大雅·皇矣》："帝謂文王，無然畔援。"箋："畔援，猶跋扈也。"為使聲韻諧和，把疊韻聯綿字分拆在相關聯的兩句中做韻脚，這是古代詩歌應用的一種修詞方法。分拆後"伴"、"援"的意義均等於"伴援"。伴援，強橫，文中是堅持不變的意思。　同極：猶言同志。極，方位、目標。

"眾駴遽"四句說：眾人怕倒霉都背棄了原來的志願，你何必獨自堅持？志同道合的人都走上相反的道路，你何必還自行其是？

6 申生：晉獻公的太子。他很孝敬父親。後來獻公又娶了驪姬，生子奚齊，驪姬想讓奚齊當太子，屢進讒言，並設計陷害申生。她把毒藥放進申生送給獻公的酒肉裏，以肉餵犬，犬死，以酒飲小臣，小臣死，獻公認為申生害他，申生因畏懼而出逃，自經於新城之廟。事詳《國語·晉語》。　好：音浩 hào，喜愛。婞直：剛直。婞，音幸 xìng。　不豫：不變化。豫，搖擺。　鯀：音滾 gǔn，相傳是堯的臣子禹的父親。堯時洪水滔天，民不聊生，堯欲選拔人材治水，眾僚屬推薦鯀，堯同意了。鯀治水九歲未成功，被殺於羽山。後世的輿論都認為鯀罪有應得。但是，屈原却對他抱有好感，認為他性情剛直，覺得是對的，就照直幹下去，正因如此，所以"功用不就"。屈原對鯀的評價大概是有根據的。鯀被殺的原委如今已弄不清楚了。鯀事詳《尚書》堯典和舜典篇。

功用：功業。厲神以申生和鯀的結局為前車之鑒，告誡屈原：若不相機變通，長此下去，他的命運將是悲慘的。

"晉申生"四句說：晉國的申生是位孝子，但父親聽讒言並

48

不喜愛他。鯀剛直不圓通，終於未能成就功業。

以上二十句是第四段。寫屬神勸屈原改變志向和爲人處世的態度，作明哲保身之計。

吾聞作忠以造怨兮，忽謂之過言。九折臂而成醫兮，吾至今而知其信然。[1]矰弋機而在上兮，罻羅張而在下。設張辟以娛君兮，願側身而無所。[2]欲儃佪以干傺兮，恐重患而離尤。欲高飛而遠集兮，君罔謂汝何之？欲橫奔而失路兮，蓋志堅而不忍。[3]背膺牉以交痛兮，心鬱結而紆軫。[4]

【注釋】

1 作忠：猶言盡忠。　造怨：等於說招怨。造，至。怨，怨恨。　忽：不介意。　過言：過分、不合實際的話。　九折臂而成醫：古代成語，意爲凡事必經多次體驗才能知其真諦。《左傳》作"三折肱知爲良醫"。　信然：真實可信。然，誠信。

"吾聞"四句說：我曾聽說盡忠會招來仇怨，我認爲言過其實不以爲然。但是，古人說九折臂成良醫，如今我終於懂得這話可信。

2 矰弋：音增義 zēng yì，帶絲繩的短箭。　機：射箭的弩機，文中是發射之意。　罻羅：捕鳥的網。罻，音尉 wèi。洪興祖《楚辭補注》引《淮南子》云："矰繳機而在上，罘罝張而在下。雖欲翱翔，其勢焉得？"　張：張設。　設：設置。　張辟：捕鳥的羅網，比喻讒言謗語。　娛：同"虞"，迷惑。《詩·魯頌·閟宮》："無貳無虞，上帝臨女。"傳："虞，誤也。"　願：求。　側身：猶言側足，跓起腳尖站着。

"矰弋"四句說：天上有射出的矰弋，地下有張布的羅網。他們巧言令色迷惑君王，我求側足而立都沒有地方。

3 僮佪：音蟬回 chán huí，徘徊貌。　干：求。　際：同
"際"，際遇、機緣。　重：音仲 zhòng，加重。　罹：同"罹"。
尤：罪。　遠集：猶言遠行。集，鳥落於樹枝上。　罔謂：難
道不說……。洪興祖補注："言欲高飛遠集，去君而不仕，得無
謂我遠去欲何所適也。"　橫奔：沿橫路奔走。橫與竪相對，竪
爲直，橫爲斜。欲橫奔，指從正路轉入邪路，意謂改變志趣。
失路：離開正路。　蓋：提示下文的語氣詞，無義。王逸注："言
己意欲變節易操，橫行失道而從佞僞，心堅於石而不忍爲也。"

　　"欲僮佪"六句說：徘徊彳亍尋找接近君王的機緣，又怕徒
增憂患惹來更大的麻煩。打算遠走高飛，君王必然質問："你到
哪裏去？"我欲離開原路而橫奔，可我志向堅定豈忍背離！

　　4 膺：音英 yīng，胸膛。　牉：音叛 pàn，裂解。　紆：繚
繞。　軫：音枕 zhěn，傷痛。

　　"背膺牉"兩句說：背和胸像割裂一樣疼痛，內心憂鬱，悲
慼繚繞。

　　以上十六句是第五段。寫因盡忠招怨而處境艱險，遠走高飛
不可行，阿附羣奸不忍爲，非常矛盾痛苦。

　　撟木蘭以矯蕙兮，糳申椒以爲糧。播江離與
滋菊兮，願春日以爲糗芳。[1]恐情質之不信兮，故
重著以自明。矯兹媚以私處兮，願曾思而遠身。[2]

【注釋】

　　1 撟：舂。　木蘭：一種花大而美，氣味芬芳的植物。　矯：
揉。　蕙：香草名。　糳：音作 zuò，把穀舂爲精米，文中是舂
撟之意。　申椒：花椒的一種，味芳香。　江離：即芎藭，草本
植物，秋日開簇生的小白花，全株有香味，根可入藥。　滋：滋
養，文中是培植之意。　糗：音秀 xiù，乾飯。當青黃不接的春
荒時節，詩人以香花芳草塡充飢腸，這是比喻他在困難的處境中，

50

保持高尚的品質不變。

"擣木蘭"四句說：擣細木蘭揉碎蕙草，舂搗申椒當作口糧。播種江離培植菊花，備作春天的芳香的乾糧。

2 情質：情趣志向。　信：同"伸"，昭著。　重著：反覆申述。重，音蟲 chóng。　矯茲媚：高舉此種美德。矯，舉。茲，此，指"情質"。媚，美。　私處：謂不任官職。　曾思：深思，謂注重節操莫走錯路。曾，同"層"。　遠身：謂己遠離楚王，義同"私處"。

"恐情質"四句說：唯恐我的情質不昭著，所以反覆申述以自白。保持美德以私處，願深謀遠慮潔身自愛。

以上八句爲末段。寫堅守自己的"情質"，珍攝自處，期待着懷王覺醒。

抽　　思

抽思，傾訴情懷。抽，引出，文中有傾訴、抒發的意思。思，情思。

本篇是詩人放逐漢北時寫的。詩中"道遠遠而日忘兮，願自申而不得"、"有鳥自南兮，來集漢北"等語，可資證明。

《抽思》是一篇抒怨陳情的作品。詩人憂國憂民的思想，在放逐生涯中痛苦複雜的感情，詩中都作了深刻的闡述和生動的描寫。尤其是"願搖起而橫奔兮，覽民尤以自鎮"一語，頗具思想深度，乃屈賦中的精華，值得特別提出。詩人回憶"作忠以造怨"的往事，甚感憤憤不平，並委婉地指摘了懷王的錯誤。但是，詩人仍把平反冤屈再度出仕的希望寄托在懷王身上。他諄諄勸說懷王認清是非及早回頭，忠君的思想貫穿着全篇。

篇中所反映的這種思想情緒，也說明《抽思》寫於初遭貶黜的時候。

　　心鬱鬱之憂思兮，獨永嘆而增傷。思蹇產之不釋兮，曼遭夜之方長。[1]悲秋風之動容兮，何回極之浮浮！數惟蓀之多怒兮，傷余心之憂憂。[2]願搖起而橫奔兮，覽民尤以自鎮。結微情以陳詞兮，矯以遺夫美人。[3]

【注釋】

　　1 鬱鬱：愁悶聚集貌。　思：追思，指回憶"作忠以造怨"的往事。　永嘆：長嘆。　蹇產：同"嶘嶒"，音減產 jiǎn chǎn，山巒曲折起伏貌，文中形容思緒纏綿。　釋：解開。　曼：同"漫"，長。　遭：遭遇。　方：正當。

　　"心鬱鬱"四句說：心中憂愁鬱結，撫今追昔，獨自慨嘆，倍增傷感。思緒紛亂糾結不眠，更何況長夜漫漫。

　　2 動容：動貌。也作"動溶"或"動搈"。《淮南子·原道》："動溶無形之域，而翱翔忽區之上。"《說文》："搈，動搈也。"文中形容秋風吹動。參見《悲回風》"容容"注。　回極：舊注多誤。唯朱熹從天文的角度詮釋，解爲天極回旋的樞軸，義近似，但仍不甚了了。我認爲，回是廻旋之意；極指北極星。北極星稱極，古書有證。《周禮·考工記·匠人》："晝參諸日中之景，夜考之極星。"注："極星，謂北辰。"回極，係指北斗七星環繞北極星的運動。北極星距地球的北極非常近，幾乎正當地軸的延長線上。從地球看上去，它在天空的位置近乎不變。北斗星距北極星不遠，其斗柄的指向隨季節而改變：春指東，夏指南，秋指西，冬指北。不同的季節北斗在天空的方位也不同。因而，形成一種極明顯的繞北極星旋轉的運動，並素爲古人所重視。這一天文知識，我國在戰國時已經懂得了。博學的屈原對此天象一定很清楚。　浮浮：行貌，文中形容北斗的運動。回極浮浮，喻時光流駛季節變動。　數：音署 shǔ，計。　惟：思。數惟，思索。　蓀：香草，喻懷王。　懮懮：音油 yóu，憂痛貌。

"悲秋風"四句說：秋風蕭蕭牽動我的悲哀，為什麼季節變得這樣快！回想君王對我多次震怒，實在使我隱痛傷懷。

3 搖起：振作而起。　橫奔：遠走高飛。　民尤：民生的災難。民，指楚國人民和屈原的族人。從楚懷王十六年至屈原流放漢北這段時期，楚軍接連敗北，傷亡慘重，國勢衰微，擾攘不安，人民歷盡苦難，屈原家族當政治上失勢之時，大概也飽受離亂的苦頭。"民尤"即指此而言。　鎮：鎮靜，指情緒從激動轉為沉靜。　結：凝聚。　微情：隱衷，指詩人的政治抱負、憂君憂國之情及個人的政治遭遇等等。　陳：敷陳，指寫作。　詞：文辭，指書信。　矯：舉，文中有奉敬之意。　遺：送。　夫：指示代詞，彼。　美人：美好的人，指懷王。

"願搖起"四句說：真想振作精神遠適他鄉，躲開這是非場，但目睹人民遭受災難便又強自鎮定下來。我要把深藏的隱情寫成書信，奉呈給尊貴的君王。

以上十二句是第一段。寫秋夜漫長，秋風增怨，回憶自己和國家的遭遇無限憂傷。本想憤然遠行，然而覽民生塗炭，又喚起拯救國難的責任感。

　昔君與我成言兮，曰："黃昏以為期。"羌中道而回畔兮，反既有此他志？[1]憍吾以其美好兮，覽余以其脩姱。與余言而不信兮，蓋為余而造怒？[2]願承閒而自察兮，心震悼而不敢。悲夷猶而冀進兮，心怛傷之憺憺。[3]

【注釋】

1 昔：指最受寵信之際，那時屈原"入則與王圖議國事，以出號令；出則接遇賓客，應對諸侯。王甚任之"。 成言：約定。

黃昏：比喻晚年。 期：目標。黃昏爲期，與懷王協力治國、終生不變的意思。 羌：語助詞，文中表達疑問語氣，相當於"何"。 中道：半途。 回畔：反覆，指懷王背約幡悔；畔，同"叛"。 他志：別的想法，指摒棄屈原而轉向屈原的政敵。

"昔君"四句說：昔日你同我約好，說："我們共同努力一直到老。"爲什麼你背棄諾言中途變卦，反而採取別的做法？

2 憍：同"驕"，矜誇炫弄。 覽：展示炫耀。 余：屈原自稱，下同。 脩姱：美好。 盍：音河 hé，何。 造怒：盛怒。造，突然。

"憍吾"四句說：你以自命的美好品德向我矜誇，你以自命的高尚行爲向我炫耀。是你對我言而無信，爲何朝我傾瀉憤怒？

3 承閒：趁機。 閒，同"間"。 察：申明。 震悼：驚恐。 夷猶：猶豫。 冀：希望。 怛：音達 dá，憂痛。 憺憺：音但 dàn，動蕩不安貌。

"願承閒"四句說：切望找機會向你表白，可是內心又悚懼不敢。我悲感，躊躇，盼着向你進一言，我的心憂痛波動而不安。

以上十二句是第二段。寫詩人批評懷王中道易轍，又期望他能體諒自己的隱衷，允許陳情進諫。

歷茲情以陳辭兮，蓀詳聾而不聞。固切言之不媚兮，衆果以我爲患。[1]初吾所陳之耿著兮，豈至今其庸亡？何獨樂斯之謇謇兮，願蓀美之可完。[2]望三五以爲像兮，指彭咸以爲儀。夫何極而不至兮，故遠聞而難虧。[3]善不由外來兮，名不可以虛作。孰無施而有報兮，孰不實而有穫？[4]

【注釋】

1 歷：同"瀝"，披瀝。 茲情：此情，指上文叙述的情懷。

54

辭：言詞。　孫：指懷王。　詳：同"佯"，假裝。　固：本來。　切言：懇切的直言。言本作"人"，據聞一多說校改。媚：取悅。《說文》："媚，說（悅）也。"

"歷茲情"四句說：我袒露情懷陳述心聲，可是君王却佯聾不肯聽。率直的言詞本不會討人喜歡，衆人果眞把我視爲禍害。

2 耿著：昭明。庸：平凡。乚：音隱 yěn，暗昧不明。乚原作"亡"。譚介甫《屈賦新編》："亡，一本作止，疑皆乚的誤字。《說文》'乚，匿也，象迆曲隱蔽形。'"今據譚說改。庸乚，平庸愚陋。　樂：喜愛。　斯：此。　謇謇：音簡 jiǎn，說話率直貌。　完：完美。

"初吾"四句說：當初我陳述的意見明白清楚，難道你至今還認爲庸陋不可取嗎？爲什麽唯有我愛直言進諫？是願你做個完美無缺的人。

3 三五：三皇五帝。關於三皇傳說不一。《尙書大傳》五："遂人爲遂皇，伏羲爲戲皇，神農爲農皇也。遂人以火紀，火，太陽也，陽尊，故託遂皇於天。伏羲以人事紀，故託戲皇於人，蓋天非人不因，人非天不成也。神農悉地力種穀疏（蔬），故託農皇於地。"此說雖受陰陽五行的影響，但定三皇爲遂人氏、伏羲氏和神農氏是可取的。傳說遂人氏爲火的發明者，伏羲氏是人的創造者，神農氏是農業的首倡者，古人尊他們爲三皇，有一定的道理。據《世本》，少皞金天氏、顓頊高陽氏、帝嚳高辛氏、帝堯陶唐氏、帝舜有虞氏爲五帝。　像：榜樣。　彭咸：巫彭和巫咸，均爲商代名臣。彭、咸是名字，因其爲商祝，主掌卜筮，故後世稱之爲巫彭、巫咸。據《呂氏春秋・勿躬》"巫彭作醫"的記載，知巫彭通曉醫術。巫咸乃商王太戊的重臣，殷墟甲骨有祭祀他的卜辭。可能他地位尊崇政績卓著，或因血緣的關係，因而死後受殷人奉祀。據說巫咸是今山西省夏縣人。張澍稡輯《世本》引《緯略》云："今平陽有巫咸頂，云是巫咸修眞處。更有巫咸山、巫咸墓、巫咸谷，在夏縣東，是巫咸河東人也。"巫咸大概也精通醫道。《山海經・大荒西經》："大荒之中有山，名曰豐沮玉門，日月出入，有靈山，巫咸、巫即、巫盼、巫彭、巫姑、巫眞、巫禮、巫抵、巫謝、巫羅十巫從此升降，百藥爰在。"注："羣巫上下此山採之也。"漢人王逸注《楚辭》說："彭咸，殷賢大夫，諫其君不聽，自投水而死。"他認爲彭咸是一人，非二人。後人多沿用王說。但是，屈原作《抽思》之時，尚無投水自盡的意思。若依王說，因巫咸諫君不納投水而死，所以屈原才以之爲師表，那麼這同屈原此時的思想是矛盾的。所以，王說不一定就是千古不易之論。我認爲，甲骨文明證有"咸"其人，《呂氏春秋·勿躬》"巫彭作醫，巫咸作筮"，也明言彭咸是兩人。另外，從《天問》知道屈原精通古史，他對商殷的名人事迹也一定知道很多。從上引材料看，彭、咸是古史或古代傳說中頗享盛名的人物。屈原素來崇尚先賢，因此他引彭、咸爲楷模，乃是順理成章的事。所以，我認定"彭咸"是商代的巫彭、巫咸，非王說之一人，也不見得投水而死。　儀：表率。　夫：發語詞，無義。　極：邊極、邊際。何極不至，無所不至，謂功業無所不就。

　故：則。　遠聞：使聲譽遠傳。聞，聲名。　虧：損害。

　"望三五"四句說：你該以賢明的三皇五帝爲楷模，我則奉忠直的彭咸爲表率。那麼，多大的功業也能成就，且將令聞遠佈，永垂不朽！

　4 作：樹立。　孰：何、怎麼。　施：把……加給對方。

　"善不由"四句說：善美的品德不能靠別人賜予，光榮的名譽不可憑空得到。不施恩哪能得到報答，不結果實怎會有收穫？

　以上十六句是第三段。寫對懷王的忠誠和期望。

　　少歌曰：[1]**與美人抽怨兮，并日夜而無正。憍吾以其美好兮，敖朕辭而不聽。**[2]

【注釋】

　1 少歌：少與"少"篆文形似，疑爲"少"之誤。少，古"躇"

字，有"足蹈"的意思。少歌可能是舞蹈時唱的歌，後來與舞蹈分離，可以獨立歌詠，並漸漸發展爲一種詩體，所以詩人用"少歌"的形式寫詩歌。舊釋爲"短歌"、"小歌"或唱詞中的一節，等等。

2 與：向。　抽怨：訴說情怨。　無正：猶言不平。　敖：同"傲"，傲慢，文中有鄙視的意思。　朕：音鎮 zhèn，上古人人都可稱朕，等於今天的"我"，至秦始皇才定朕爲皇帝的自稱，爾後爲歷代帝王所沿用，遂爲帝王的專稱，他人便不得稱朕了。

"少歌"四句說：向君王訴說心中的幽怨，我日日夜夜都鳴着不平。你以自命的美德對我炫耀，鄙棄我的陳詞充耳不聽。

這四句爲第四段。寫懷王傲慢自恃，不聽良言規勸。

　　倡曰：[1]有鳥自南兮，來集漢北，好姱佳麗兮，牉獨處此異域。[2]既惸獨而不羣兮，又無良媒在其側。道逴遠而日忘兮，願自申而不得。望北山而流涕兮，臨流水而太息。[3]望孟夏之短夜兮，何晦明之若歲！惟郢路之遼遠兮，魂一夕而九逝。[4]曾不知路之曲直兮，南指月與列星。願徑逝而未得兮，魂識路之營營。[5]何靈魂之信直兮，人之心不與吾心同！理弱而媒不通兮，尚不知余之從容。[6]

【注釋】

　　1 倡曰：唱詞說。倡，同"唱"。

　　2 鳥：指屈原。鳥兒飛翔無定止，而屈原浪迹漢北，有如失巢之鳥，故以鳥自喻。　自南：謂從郢都來到漢北。　集：止。漢北：今湖北鍾祥、宜城、襄樊以北、漢水左側的地方，古稱漢北。以南、漢水右側的地方，則稱漢南。　好姱：美麗。　牉：音

57

叛 pàn，分別。

"有鳥"四句說：有隻鳥兒自南邊飛來，棲息在漢北之地。它嬌美而漂亮，可憐遠離故土流落在孤獨的異鄉。

3 惸獨：孤單。惸，音窮 qióng。 良媒：好媒人，指能代屈原說情的朝臣。媒見下注。 其側：謂懷王身側。 逴：音戳 chuō，遠。 忘：謂懷王忘却屈原。 申：申訴。 北山：指楚北部邊境的要塞方城所在的山。在今河南方城縣一帶，位於漢水以北，故稱北山。 涕：眼淚。 流水：指漢水。據《左傳》僖公四年載，齊桓公於公元前六五六年率諸侯以重兵伐楚，同楚爭奪霸權。楚大夫屈完至齊軍中，對桓公說："君若以力，楚國方城以爲城，漢水以爲池，雖衆，無所用之。"因楚當時很强盛，桓公不敢硬攻，於是同楚盟誓，回師撤兵。屈原與屈完是同一族系，他漂泊漢北，立足於方城漢水之間，目睹國家受强秦的嚴重危脅，緬懷兵强國盛之疇昔，有感於屈完勇禦外侮，不禁悽然悲愴，感慨繫之！所以望北山而流涕，臨漢水而嘆息了。

"既惸獨"六句說：我形單影隻如失羣的鳥，又無知己在君王身側爲我說合。道路遼遠被人漸漸遺忘，我想申訴也不可得。遙望北山流下痛苦的眼淚，瀕臨漢水深深地感嘆。

4 孟夏：一年分爲春夏秋冬四季，每季三個月。從一月到十二月，古人依次稱之爲孟春、仲春、季春，孟夏、仲夏、季夏，孟秋、仲秋、季秋，孟冬、仲冬、季冬。孟是大、仲是次、季是小的意思。屈賦用夏曆。夏曆的歲首定在建寅之月，即今所謂的正月。因此，文中的孟夏就是陰曆四月。 晦明：從入夜到天明。晦，暗。 歲：年。 惟：同"雖"。 郢：楚的首都，在今湖北江陵縣。 郢路：通向郢都的道路。 九：泛指多次。逝：往。

"望孟夏"四句說：眼望着初夏的夜色我輾轉不寐，怎麼短短的一夜竟像一年那樣長！雖然郢路遼遠，靈魂一夜間竟多次回返。

5 曾：却。 不知：不計較。 南指：指向南方，朝南走的

58

意思。 列星：羣星。 徑逝：照直去。 營營：往返周旋，猶言團團轉。《詩·小雅·青蠅》：“營營青蠅，止於樊。”傳：“營營，往來貌。”《漢書·揚雄傳·校獵賦》：“羽騎營營，昈分殊事。”師古曰：“營營，周旋貌。”

“曾不知”四句說：我不管歸路的曲與直，且沿着月與星指引的方向南行。我願徑直回到郢都，但魂靈旋繞找不到歸郢的路徑。

6靈魂：實指自己的性情品質。 信直：誠實端直。 人：指羣奸。 理：即行理的簡稱，古稱往來通聘禮的人爲行理。《左傳》昭公十三年：“行理之命，無月不至。”注：“行理，使人通聘問者。” 媒：與理同義，亦指爲雙方拉關係，通禮問的人，這是就泛義說。但媒又特指婚姻的撮合者。《詩·衞風·氓》：“匪我愆期，子無良媒。”理、媒，文中均指同懷王的聯系人。 從容：舉動，文中指詩人的所想所從。

“何靈魂”四句說：爲什麼性情這樣端直，別人的心可與我大不相同！聯系斷絕媒理不通，君王還不知我的所想所從。

以上二十二句是第五段。寫縈縈孑立的放逐生活和憂慮國事、懷歸郢都的急切心情。

亂曰：[1]長瀨湍流，泝江潭兮。狂顧南行，聊以娛心兮。[2]軫石崴嵬，蹇吾願兮。超回志度，行隱進兮。[3]低個夷猶，宿北姑兮。煩寃瞀容，實沛徂兮。[4]愁嘆苦神，靈遙思兮。路遠處幽，又無行媒兮。[5]道思作頌，聊以自救兮。憂心不遂，斯言誰告兮！[6]

【注釋】

1亂：與“少歌”、“倡”同爲唱詠的歌詞。郭沫若說，亂即“辭”的古文，“文末繫以‘辭曰’以作尾聲”。

2 瀨: 淺流。　泝: 音訴 sù, 逆水上行。　江潭:指漢水。潭, 深水淵。　狂: 文中是頻繁的意思。　顧: 向回看。　行: 音杭 háng, 道路。《詩·豳風·七月》:“女執懿筐, 遵彼微行。”傳:“微行, 牆下徑也。”

“長瀨”四句說: 長灘急流, 我沿着江潭朝上走。頻頻回望通向南方的道途, 聊以寬娛思念郢都的心懷。

3 軫石: 巨石。　崴嵬: 音威惟 wēi wéi, 高峻貌。　蹇: 阻礙。　超回: 超越回旋, 猶言繞來繞去。　志: 同“誌”, 記。度: 音奪 duó, 計算。志度, 指辨認路徑。　隱進: 小心翼翼地行進。詩人以行路艱難喻己的處境, 並暗示未來將充滿艱難險阻。

“軫石”四句說: 軫石高峻, 阻礙我難如心願。曲曲彎彎邊走邊盤算, 我只能小心翼翼地行進。

4 低個: 徘徊。　北姑: 地名。據文義大約在漢北一帶, 具體地望不詳。　煩宽: 煩悶不平。　督容: 迷亂不安。容, 音永 yǒng, 同“傛”, 不安。　沛: 形容急迫。　徂: 音阻 zǔ, 往。

“低個”四句說: 我徘徊猶豫, 暫且寄宿在北姑。心思煩亂不安, 實在是歸心似箭。

5 靈: 心靈。　思: 指思懷王。　行媒: 即行理, 指與懷王傳信者。《廣雅·釋言》:“理, 媒也。”

“愁嘆”四句說: 憂愁嘆息傷透了精神, 但我的心仍在遙思遐想。郢路遼遠, 淹留在這幽僻的地方, 也沒有替我向君王傳信的人。

6 道思: 道途中的憂思。　頌: 歌。　救: 指從愁苦中解脫出來。　遂: 順, 文中是暢快的意思。　斯: 此。　誰告: 告訴誰。

“道思”四句說: 道途中憂思怫鬱, 促我作此詩歌聊以遣懷。但我憂悶的心依舊沉鬱不快, 滿腹的話兒向誰傾吐!

以上二十句是末段。寫故土遙遠, 道途多艱, 憂念君王, 愁思積鬱。

思 美 人

　　《思美人》與《抽思》的立意近似，也是抒志陳情的作品。除一般的申訴寃情，表達對楚王的期待，表白自己的高尚情操以外，有一點值得特別提一提：詩人在“車旣覆而馬顚”那種困難的處境中，並沒有消沉下去，反而“勒騏驥而更駕”，振作起來為實現自己的政治目標而繼續努力，並且“與纁黃以爲期”，明確表示了他要奮鬥到底的決心。這種百折不撓，敢於同惡勢力作鬥爭的堅強意志，很可寶貴，值得後人學習。

　　《思美人》作於放逐漢北的時候，可能比《抽思》晚一些。根據是：詩中所表露的那種在遭受嚴重挫折之後，仍然振奮欲飛的思想，同在頃襄王時期寫的情調漸趨低沉絕望的作品，如《涉江》、《哀郢》、《懷沙》諸篇，很不相類。而詩人思想演進的脈絡，同其所處環境的變化應當是一致的。一般說屈賦中思想基調明快高亢的作品，其寫作時間應該早於基調抑鬱低沉的作品。因此，把《思美人》的寫作年代定在懷王時期比較合理。從詩的內容來看，顯然寫於放逐之中。當懷王時，屈原的放逐地是在漢北。詩中“指嶓冢之西隈”一語，可作爲本詩寫於漢北的證據；“開春發歲”，說明是在春天寫的。那麼，判定《思美人》作於流浪漢北時的一個春日，大抵是正確的。

　　思美人兮，擥涕而竚眙。媒絕路阻兮，言不可結而詒。[1]蹇蹇之煩寃兮，陷滯而不發。申旦以舒中情兮，志沈菀而莫達。[2]願寄言於浮雲兮，遇

豐隆而不將。因歸鳥而致辭兮，羌迅高而難當。³
高辛之靈盛兮，遭玄鳥而致詒。欲變節以從俗兮，
媿易初而屈志。⁴獨歷年而離愍兮，羌憑心猶未化。
寧隱閔而壽考兮，何變易之可爲！⁵

【注釋】

1 美人：指楚懷王。　攬：同"攬"。攬涕，猶言拭淚。
竚：音注 zhù，站立。　眙：音斥 chì，直視。竚眙，站着發獃。
　媒：文中指詩人同懷王的聯係。　路：通向郢都的路。　結：
謂寫信。　詒：同"貽"，送。

　　"思美人"四句說：思念尊敬的君王，我擦着眼淚獃痴地佇
立着遙望郢都。聯係斷絕道路阻隔，心中的話語無法傳給君上。

2 謇謇：忠直貌。　煩冤：憂煩冤屈。　陷滯：沉陷積滯。
申旦：猶言一天又一天。申，重複。旦，日。　舒：抒發。
中情：內情。　菀：同"鬱"。

　　"謇謇"四句說：忠誠耿直惹來無盡的煩冤，積壓在心底裏
無從抒發。我天天想向你傾訴衷情，然而心志沉鬱也沒有表達的
途境。

3 寄言浮雲：托浮雲捎信兒。　豐隆：雷神。《淮南子·天
文》："季春三月，豐隆乃出，以將其雨。"注："豐隆，雷也。"
《文選·張衡·思玄賦》："豐隆軺其震霆兮，列缺曄其照夜。"
注："豐隆，雷公也。"　將：幫助。　因：借助。　致：送致。
　辭：指書信。　迅高：迅疾高遠。　當：同"擋"，攔，文中
有約請的意思。

　　"願寄言"四句說：想拜托浮雲捎信兒給君王，偏遇上豐隆
驅散浮雲不肯幫忙。借助歸鳥送信吧，但鴻雁飛得迅捷而高遠無
從攔擋。

4 高辛：即帝嚳，古帝王名。實爲古代黃河流域一部族的首
領。傳說他娶有娀氏女簡狄爲妻。簡狄吞食了玄鳥（燕子）卵而

62

生契，契是商人的祖先。《詩·商頌·玄鳥》：“天命玄鳥，降而生商。”玄鳥是商族人的圖騰。圖騰乃原始社會中氏族的族徽，一般是以某種禽獸爲標誌的。原始人極其尊崇圖騰，認爲它是自己的祖先和保護神。《三代吉金文存》載有商代一件銅器——玄鳥婦壺，乃是簡狄後裔某女性所造的禮器。此壺證明：玄鳥確爲商人的圖騰。詩經中的“玄鳥”即指商人的祖先而言。“天命玄鳥，降而生商”，即祖先“玄鳥”奉天命而降生出商族來的意思。關於“遭玄鳥而致詒”的神話性情節，今已無從知道。但玄鳥致詒顯然是指高辛氏與商部族聯姻的事，這是無疑問的。高辛與簡狄的婚姻史料有記載。王謨輯《世本》：“帝嚳卜其四妃之子皆有天下：元妃有邰氏之女，曰姜原，生后稷；次妃有娀氏之女，曰簡狄，生契；……。”有娀氏即商部族中的一個氏族。由於時代久遠，後人不解玄鳥乃商人圖騰這一本義，眞相於是淹沒於玄鳥致詒、簡狄吞玄鳥卵而生契一類的神話中了。屈原借此神話表達自己的意思：高辛氏有玄鳥代致聘禮，因而同簡狄完姻；我却無人代爲溝通與懷王的聯系，並解除身受的苦難。　靈盛：神聖偉大。　遭：遇。　致詒：傳送禮品。　媿：同“愧”。　易初：改變最初的意志。　屈志：屈曲志願。

　　“高辛”四句說：高辛氏神聖偉大，遇玄鳥爲他傳送禮物。我想變易節操隨俗浮沉，可是羞於改變初衷屈曲志向。

　　這四句內涵很豐富：我沒有高辛氏的好命運。本與君王誓約“黃昏以爲期”，但君王中途變卦，並把自己放逐漢北，何等不幸！若欲擺脫這種窘境，唯有變節易志，追隨懷王及其羣僚宵小，而這有負於當初立下的宏願，既然不願如此做，唯有窮途潦倒而已。

　　5離：同“罹”。　愍：同“憫”，憂傷。　馮心：憤懣的心。馮，滿。　化：化去，消除。　隱：隱忍。　閔：同“憫”。壽考：猶言壽終、到死。

　　“獨歷年”四句說：我這幾年受盡了苦難，這顆憤懣的心至今猶未化除。寧可忍痛抱恨以終天年，也不能絲毫改變固有的志

63

節!

以上二十句是第一段。寫陳情無路的失望痛苦的心情和終生守節的堅強意志。

　　知前轍之不遂兮，未改此度。車既覆而馬顛兮，蹇獨懷此異路。[1]勒騏驥而更駕兮，造父爲我操之。遷逡次而勿驅兮，聊假日以須臾。指嶓冢之西隈兮，與纁黃以爲期。[2]

【注釋】

　　1 前轍：前面的道路。轍，車輪碾出的印迹。　遂：順利。度：準則。　覆：翻。　顛：仆，跌倒。　蹇：乃。　懷：嚮往。　異路：指與世俗不同的道路。

　　"知前轍"四句說：明知前邊是險阻的棘途，也不願改變我的態度。車已翻覆馬已仆倒，我仍嚮往這條與衆不同的道路。

　　2 勒：拉緊韁繩。　騏驥：良馬名。　更駕：再一次駕起。造父：相傳是周穆王的車夫，以善御出名。《淮南子·覽冥》"造父之御也"注："造父，嬴姓，伯翳之後，飛廉之子，爲周穆王御。"《荀子·正論》："造父者，天下之善馭者也。"操：駕車。　遷：遷延不進。　逡次：逡巡。逡，音囷 qūn。驅：奔馳。　假日須臾：猶言延日待時，等待時機的意思。臾，同"時"。　嶓冢：音播腫 bō zhǒng，古山名，在今陝西寧强縣，漢水發源地。《尚書·禹貢》："嶓冢導漾，東流爲漢。"傳："泉始出山爲漾水，東南流爲沔水，至漢中東流爲漢水。"隈：音威 wēi，山彎兒。嶓冢西隈，指西方的盡頭。從漢北看，嶓冢山在遙遠的西方。　纁黃：落日的橘紅色，指黃昏，喻晚年遲暮之時。纁，音勛 xūn，淡紅。

　　"勒騏驥"六句說：勒緊騏驥的韁繩再套起車馬，請造父爲我駕御。逡巡緩行切莫馳驅，姑且消磨歲月等待時機。一直走到

64

幡冢的西極，黃昏落日才是我的限期。

這六句承前而言，體現着詩人奮鬥不渝的精神：頭兩句說振作精神重整旗鼓，沿着既定的"異路"走；次兩句說等待懷王覺醒，再給自己以參政治國的機會；後兩句表達沿"異路"走到底的決心。

以上十句是第二段。寫爲實現理想而努力奮鬥的堅強意志和不可動搖的決心。

開春發歲兮，白日出之悠悠。吾將蕩志而愉樂兮，遵江夏以娛憂。[1]擥大薄之芳茝兮，搴長洲之宿莽。惜吾不及古人兮，吾誰與玩此芳草？[2]解篇薄與雜菜兮，備以爲交佩。佩繽紛以繚轉兮，遂萎絕而離異。吾且儃佪以娛憂兮，觀南人之變態。[3]竊快在中心兮，揚厥憑而不竢。芳與澤其雜糅兮，羌芳華自中出。[4]紛郁郁其遠蒸兮，滿內而外揚。情與質信可保兮，羌居蔽而聞章。[5]

【注釋】

1 發歲：一年開始。　悠悠：形容太陽緩緩上昇。　蕩志：激勵心志。　遵：沿着。　江夏：文中指漢水。江，漢水；夏，夏水。夏水詳《哀郢》注。　娛憂：排解憂悶。

"開春"四句說：新春來到又一年開始，白日緩緩地昇起。我借這明媚的春光砥礪心志而自求歡娛，沿着江夏漫步以排遣憂悶。

2 擥：同"攬"，採。　大薄：叢集。薄，草木深密。　茝：同"芷"，即白芷，香草名。　搴：拔。　長洲：水中長長的洲渚。　宿莽：草名，又叫卷施草，耐寒，越冬而不死。　不及：

65

猶言不遇。及，趕上。　誰與：與誰。無人同玩芳草，是無人賞識自己的意思。

"攀大薄"四句說：採摘叢生的芳芷，拔取長洲上的宿莽。可惜遇不上古代的賢人，我同誰賞玩這芬芳的香草？

3 解：採。　萹：音扁 biǎn，即萹蓄，一種野生植物，紅莖白花，生於道旁，又名萹竹。萹薄，叢生的萹蓄。　雜菜：品種雜亂的野菜。菜，指可食的草本植物。萹和雜菜都是平凡不雅的東西。　備：貯存。　交佩：佩在左右兩側的裝飾品。萹薄雜菜、備以爲交佩，喻懷王寵信奸邪，壞人充斥於左右。　佩：芳香的佩飾，屈原自喻。　繽紛：美盛貌。　繚轉：繚繞。　遂：終。　萎絕：枯萎。　離異：分離，文中有拋棄之意。萎絕離異，喻詩人的遭遇。　僮佪：徘徊。　南人：南國中人，指郢都的羣奸。　變態：猶言動態。變，動。

"解萹薄"六句說：他們採集叢叢的萹蓄和形形色色的野菜，珍藏起來用爲左右的佩帶。色彩繽紛鮮花繚繞的飾物，竟至枯萎凋敗被無情地拋開。我暫且在河上徘徊舒散憂悶，試看南國中人有怎樣的動態。

4 竊：暗自。　快：快慰。　中心：心中。　揚：發，拋開。　厥：其。　憑：滿，謂憤慨積壓心中。　竢：同"俟"，等待。不竢，謂不再等待懷王的恩赦重用。詩人的遭遇本來很痛苦，但能處濁世而不染，保持了自己高尚的思想品德，有一種自我寬慰的快感，所以說"竊快在中心兮，揚厥憑而不竢"。　芳：芳香之物。　澤：污垢。　糅：不同質的東西混在一起。芳澤雜糅，喻詩人同羣奸俗人雜處。　芳華：芳香的花朵，喻詩人的思想品德。華，同"花"。　中：其中，指"澤"中。

"竊快"四句說：我心中暗暗感到快慰，拋卻心頭的憤慨不再寄情於等待。香物與臭東西雜湊在一起，而馨香的花朵却從污穢中開放出來。

5 紛：同"芬"。　郁郁：香氣濃烈。　蒸：散發。　內：指詩人的內心。　情：外在的儀表。　質：內在的本質，謂思想

66

品德。　信：眞。　居蔽：住地偏僻。　聞：聲名。　章：同
"彰"，顯著。屈原被橫加種種莫須有的罪名，但他並不悲觀。
他認爲只要情質芬芳，美名自然流傳世上。

"紛郁郁"四句說：馥郁的濃香散向遠方，芬芳充滿於內自
會向外傳播。情與質果眞保持美好，儘管身處偏遠聲名將愈發彰
顯。

以上二十二句是第三段。寫在陳情無路的情況下，獨善其身，
保持情質不變。

令薜荔以爲理兮，憚舉趾而緣木；因芙蓉而
爲媒兮，憚褰裳而濡足。[1]登高吾不說兮，入下吾
不能。固朕形之不服兮，然容與而狐疑。[2]廣遂前
畫兮，未改此度也。命則處幽吾將罷兮，願及白
日之未暮也。[3]獨茕茕而南行兮，思彭咸之故也！[4]

【注釋】
　　1 薜荔：蔓生的藤本植物，常攀緣於樹木之上。　理、媒：均
指屈原與懷王之間的聯系和調解人。　憚：怕。　緣木：爬樹。
緣，攀緣。　因：借助。　芙蓉：荷花。　褰：讀作搴。褰裳，
撩起裙子。《詩·鄭風·褰裳》："子惠思我，褰裳涉溱。"
濡：沾濕，文中有污染之意。
　　"令薜荔"四句說：想使薜荔爲我說合，薜荔高居樹梢，我
怕舉足上樹；欲請芙蓉從中調停，芙蓉深處水中，我怕撩裙下水
弄髒了腳。
　　2 登高：謂趨炎附勢，承上文"舉趾緣木"說。　說：同
"悅"。　入下：謂俯首就辱，承上文"褰裳濡足"說。　固：
實在。　朕：我。　形：形質，指思想作風。　服：習慣。　容
與：徘徊。　狐疑：委決不下。

67

“登高”四句說：攀龍附鳳我不喜歡，違心屈就我也不幹。對此我實在看不慣！然而，我徘徊，狐疑，到底該怎麼辦？

3廣逐：猶言全面實現。 前畫：從前的計劃，指同懷王商定的方針大計，如聯齊抗秦之類。 命：命運。 處幽：處於幽遠之地，指流浪漢北。 罷：同“疲”。 白日未暮：喻未老。

“廣逐”四句說：必須全面實現昔日的計劃，至今我仍未改變這種態度！命運使我遭受放逐，精力也將疲竭，但我願趁未老之前再努力一番。

4煢煢：音窮 qióng，孤獨無依。 南行：指走向郢都，意謂憂念國事。 故：故事，指彭、咸二先賢處世的原則。

“獨煢煢”兩句說：我孤獨地朝南走，思想着彭、咸留下的原則！

以上十四句是末段。寫詩人堅持他的處世哲學和政治理想，環境雖拂逆但態度不變。

涉　江

據文義，《涉江》當是屈原流亡溆浦時所作。時間大概在放逐江南之後，寫作《哀郢》之前。

《涉江》記載詩人從江漢平原進入湖南，逆沅水上行，經枉陼、辰陽，抵溆浦的路綫和沿途的經歷，描寫詩人在幽深陰晦的溆浦度過的伶仃孤悽的生活，並對黑白混淆是非顛倒的楚王朝，進行了尖銳的攻訐。

　　余幼好此奇服兮，年既老而不衰。帶長鋏之陸離兮，冠切雲之崔嵬。[1]被明月兮珮寶璐；世溷

濁而莫余知兮，吾方高馳而不顧。駕青虬兮驂白
螭，吾與重華遊兮瑤之圃。[2]登崑崙兮食玉英；與
天地兮同壽，與日月兮齊光。哀南夷之莫吾知兮，
旦余濟乎江湘。[3]

【注釋】

1 奇服：奇偉的服裝，即下文那種高冠長劍、被明月佩寶璐
的服飾。 衰：減退。 長鋏：長劍。鋏，音夾 jiá。 陸離：
長貌。 冠：戴。 切雲：上干雲霄之意，文中是冠名。 崔嵬：
高峻貌。

"余幼好"四句說：我自幼喜愛衣着奇偉，年紀雖老興趣毫
不衰減。腰間懸着修長威武的寶劍，頭上戴着莊重崔嵬的高冠。

2 被：文中是裝飾之意。 明月：光華如明月的寶珠。 珮：
同"佩"。 璐：音路 lù，美玉。 溷濁：同"混濁"。 高馳
不顧：形容鄙棄楚王朝統治集團，徑直走自己的"異路"。顧，
回首眷顧。 虬：音球 qiú，傳說中的一種類似龍的動物。
驂白螭：以白螭做驂馬。驂，駕在兩側的馬。螭，螭龍，一般
爲黃色，此爲白色。 重華：虞舜的名。相傳舜重瞳子，故名重
華。 瑤之圃：生長着玉樹的美麗花園，相傳在崑崙山上。瑤，
美玉。

"被明月"五句說：衣服裝飾明月珠，腰間佩帶寶璐；世道
混濁沒人理解我，我當高高地飛馳無須眷顧。我且駕起青虬以白
螭爲驂，同重華去遊覽美麗的瑤圃。

3 崑崙：山名。 玉英：玉花。 南夷：指沅水流域的異族
人。 旦：太陽昇起時。 濟：渡。 江湘：長江、湘水。屈原
過江，經洞庭入沅水，並未渡湘。但湘水流入洞庭，過洞庭等於
渡湘水。戴震《屈原賦注》："湘水自洞庭入江，故洞庭以下，
得兼江、湘之目矣。"

"登崑崙"五句說：登上崑崙的瑤圃且食美玉之花；我彷彿

同天地一般長壽，像日月一樣輝煌。哀嘆南夷之中無知音，可是，天亮我便將渡過江湘，深入那個地方。

以上十四句是第一段。寫自己思想情操高尚，不爲世俗所容，被迫涉江到荒僻的南夷。

乘鄂渚而反顧兮，欸秋冬之緒風。步余馬兮山皋，邸余車兮方林。[1]乘舲船余上沅兮，齊吳榜以擊汰。船容與而不進兮，淹回水而疑滯。[2]朝發枉陼兮，夕宿辰陽。苟余心之端直兮，雖僻遠其何傷！[3]

【注釋】

1 乘：登。 鄂渚：地名。在今湖北武昌沿江一帶。《輿地紀勝·荆湖北路·鄂州上·鄂渚》：“鄂渚，在江夏西黃鵠磯上三百步，隋立鄂州，以渚故名。”該地隋代稱之爲鄂渚。但據洪興祖補注“楚子熊渠封中子紅於鄂，鄂州武昌縣地是也”，則熊渠之時武昌便稱鄂。由此可以推定隋代鄂渚之名，非自隋始，大概與屈賦中的鄂渚同爲一地。 反顧：回頭看。 欸：同“唉”，嘆息。 緒風：同“隧風”，强勁的風。 步：使……漫步。余：屈原自稱。 山皋：山脚近水的高地。 邸：音抵 dǐ，停下。方林：地名。據文義，其地應在洞庭湖附近。

“乘鄂渚”四句說：登上鄂渚回望郢都，秋末冬初的寒風勾起我辛酸的感觸。放馬於山皋讓它自由活動，停車於方林暫且休憩。

2 舲船：有篷窗的船。舲，音零 líng。 上：溯流而上。沅：沅水，沿江山高林密，猿猴出沒，人煙稀少，當時居住着百濮等少數民族。 吳榜：大槳。 擊汰：拍擊水波。 容與：形容船兒在原位搖蕩。 淹：逗留。 回水：水流回旋。 疑滯：

70

漩渦急速旋轉，在湧流的大江中看上去彷彿凝滯不動似的。疑，同
"凝"。江淹《江文通集·別賦》"舟凝滯於水濱"，即用《涉
江》語，可證。回水疑滯，形容江中的漩渦。

"乘舲船"四句說：乘坐舲船溯水進發，水手一齊划槳激濺
起浪花。船兒搖搖蕩蕩徘徊不前，漩渦深邃急流回旋。

3 朝：音昭 zāo。 枉陼：地名。據文義，其地應在今瀘溪
縣境內的沅水沿岸。陼，同"渚"。 辰陽：地名。故地當在
今辰溪縣境。洪興祖補注："前漢武陵郡有辰陽，注云：'三山
谷，辰水所出，南入沅七百五十里。'《水經》云：'沅水東逕
辰陽縣東南，合辰水，舊治在辰水之陽，故取名焉。'《楚辭》
所謂'夕宿辰陽'也。沅水又東，歷小灣，謂之枉渚。" 苟：
如果、只要。 端直：正直。 何傷：謂對己無損害。

"朝發"四句說：早晨自枉陼出發，黃昏抵辰陽過宿。只要
我內心端正方直，雖深處荒遠之地，對我又有什麼損傷！

以上十二句是第二段。寫涉江遠行的路綫，途中的艱險，以
及自己的心情。

入溆浦余儃佪兮，迷不知吾所如。深林杳以
冥冥兮，猿狖之所居。[1]山峻高以蔽日兮，下幽晦
以多雨。霰雪紛其無垠兮，雲霏霏而承宇。[2]哀吾
生之無樂兮，幽獨處乎山中。吾不能變心而從俗
兮，固將愁苦而終窮。[3]

【注釋】

1 溆：音緒 xù，水名，古稱序水，沅水支流，在今溆浦縣江
口鎮注入沅水。 浦：水濱。 儃佪：猶言轉來轉去。 迷：迷
惘。 如：往。 杳：深遠。 冥冥：幽暗貌。 狖：音又 yòu，
黑猿。

"入溆浦"四句說：沿着溆水朝裏走輾轉不定，心中迷惘不知應當何往。密密的森林幽暗而深廣，本是猿狖居住的地方。

　　2霰：音現 xiàn，在空中凝結下降的微小冰粒。《詩·小雅·頍弁》："如彼雨雪，先集維霰。"　紛其：紛然。　垠：音銀 yín，邊際。　霏霏：雲霧流動貌。　承宇：包圍着屋宇。承，接。宇，屋簷。

　　"山峻高"四句說：山峯高峻遮擋着天日，山下終年幽暗多雨。嚴冬雪霰紛紛，茫茫無際，雲霧霏霏低壓着屋宇。

　　3吾生：我這一輩子。　幽：閉鎖。　變心：改變志趣。俗：世俗。　終窮：困頓到底。窮，環境困窘。

　　"哀吾生"四句說：哀嘆我的生平毫無快樂，孤獨地封閉在這深山中。我不能改變心志追隨世俗，當然會愁苦窮困終生。

　　以上十二句是第三段。寫在溆浦孤苦窮困的生活狀況。

　　接輿髡首兮，桑扈臝行。忠不必用兮，賢不必以。伍子逢殃兮，比干菹醢。[1]與前世而皆然兮，吾又何怨乎今之人！余將董道而不豫兮，固將重昏而終身。[2]

【注釋】

　　1接輿：春秋楚國的賢者，因不滿現實而玩世不恭。《論語·微子》："楚狂接輿歌而過孔子曰：'鳳兮鳳兮！何德之衰？往者不可諫，來者猶可追。已而，已而！今之從政者殆而！'"《韓詩外傳》二："楚狂接輿躬耕以食，其妻之市未返，楚王使使者齎金百鎰，造門曰：'大王使臣奉金百鎰，願請先生治河南。'接輿笑而不應。使者遂不得，辭而去。妻從市而來曰：'先生少而爲義，豈將老而遺之哉？門外車軼何其深也！'接輿曰：'今者，王使使者齎金百鎰，欲使我治河南。'其妻曰：'豈許之乎？'曰：'未也。'妻曰：'君使不從，非忠也；從之，是遺義也。

不如去之。'乃夫負釜甑，妻戴經器，變易姓字，莫知其所之。"
《戰國策·秦策》："箕子、接輿，漆身而為厲，被髮而為狂。"

髡：音坤 kūn，剃髮。髡首，謂接輿自剃其髮以避世。 桑扈：
也作桑戶，相傳是古代賢者，類似接輿一類人物。《莊子·大宗
師》："子桑戶、孟子反、子琴張三人相與為友，曰：'孰能相
與於無相與？相為於無相為？孰能登天遊霧，撓挑無極，相忘以
生，無所終窮？'三人相視而笑，莫逆於心，遂相與友。" 贏：
同"裸"。 不必：不一定。 以：用。 伍子：即伍員，字子
胥，春秋時吳的賢大夫。本楚大夫伍奢次子，楚平王殺伍奢，子
胥輾轉流亡，最後逃至吳，行乞於市，知公子光有異志，乃進勇
士專諸於公子光。後公子光使專諸刺殺吳王僚，自立為吳王，是
為闔廬。於是召伍子胥而與謀國事。後子胥與孫武率兵伐楚，破
郢都，子胥掘楚平王墓，鞭屍三百以報父仇。闔廬死，太子夫差
即位，寵信太宰嚭。夫差欲北伐齊國，子胥認為越國是吳的腹心
之疾，勸夫差先滅越，夫差不聽。太宰嚭趁機讒害子胥。於是夫
差賜子胥屬鏤之劍命自裁，伍子胥仰天長嘆："嗟乎！讒臣嚭為
亂矣，王乃反誅我。"並囑咐說："以懸吾目於東門，以見越之
入，吳國之亡也！"於是自刎死。夫差聽到此話大怒，說："孤
不使大夫得有見也。"下令將子胥屍首裹以鴟鴟皮囊投入江中。
子胥死後十餘年，越王句踐果滅吳，吳王夫差自殺。事詳《國語·
吳語》、《史記·伍子胥傳》。 比干：殷紂王的諸父和賢臣，
因勸紂改惡從善而被殺。《史記·殷本紀》："紂愈淫亂不止。微
子數諫不聽，乃與太師、少師謀，遂去。比干曰：'為人臣者，
不得不以死爭。'廼強諫紂。紂怒曰：'吾聞聖人心有七竅。'
剖比干，觀其心。"《新序·節士》："紂作炮烙之刑，王子比
干曰：'主暴不諫，非忠臣也；畏死不言，非勇士也；見過則諫，
不用則死，忠之至也。'遂進諫，三日不去朝，紂因而殺之。"
菹醢：音租海 zū hǎi，把肉剁碎拌以菜蔬做醬，文中是處以極刑
之意。

　　"接輿"六句說：接輿自削其髮，桑扈裸體而行。忠誠不一

定被信任，賢明不見得獲重用。伍員竭盡忠誠反而遭殃，比干苦心諍諫被處極刑。

2 與：同「舉」，全部。　然：如此。　乎：於。　董：正。　不豫：不動搖。豫，搖擺。　重昏：被黑暗圍困。重，音崇 chóng，層。　終身：猶言到死。

「與前世」四句說：整個前代都是如此，我又何必怨望今人！我將堅持正道決不動搖，這當然會陷進困境直至了却此身。

以上十句是第四段。寫對世道邪曲的憤慨，表示寧受厄難也不易志。

亂曰：鸞鳥鳳皇，日以遠兮；燕雀烏鵲，巢堂壇兮。[1]露申辛夷，死林薄兮。腥臊並御，芳不得薄兮。[2]陰陽易位，時不當兮。懷信侘傺，忽乎吾將行兮。[3]

【注釋】

1 鸞鳥：傳說是類似鳳凰的瑞鳥。　鳳皇：傳說中的祥瑞之鳥。雄稱鳳，雌稱凰。皇，同「凰」。鸞鳥鳳皇，喻賢俊。　燕雀烏鵲：喻奸邪。　巢：做窩。　堂壇：文中指寬敞豁亮的宮室。壇，楚人稱中庭為壇。又《楚辭·七諫》「鷄鶩滿堂壇兮」注：「高殿敞陽為堂，平場廣坦為壇。」

「鸞鳥」四句說：鸞鳥鳳皇，一天天遠去；燕雀烏鵲，在敞亮的宮室裏築起巢窠。

2 露申：即申椒，芳香植物。　辛夷：一種高大的落葉喬木，有香味。露申辛夷，喻賢者。　林薄：林木濃密。薄，音博 bó。腥臊：汚臭物，喻奸邪。　御：進用。　芳：指賢才。　薄：靠近。

「露申」四句說：露申辛夷，死於密林中。腥臊的臭物齊獲寵用，香花芳草無法接近。

3 陰：黑夜。　陽：白晝。　當：音蕩 dàng，合適。　信：忠誠。　佗傺：失意貌。　忽：漂泊不定。

"陰陽"四句說：白晝和黑夜顛倒，我沒逢上好的世道。胸懷忠誠而失意落泊，萍踪無定又將踏上新的行程。

以上十二句是末段，總束全篇。寫楚王朝斥賢怙惡是非顛倒，感慨一腔忠誠竟至落泊飄零。

哀 郢

哀郢，哀念郢都。

《哀郢》是屈原的重要作品。文中"方仲春而東遷"，"遵江夏以流亡"兩句，明言是被頃襄王放逐江南。又說"至今九年而不復"。查屈原於公元前二九二年放逐江南，下推九年當公元前二八三年，本詩應作於是年。

《哀郢》乃詩人集九年流亡生活寫成的心聲之作，抒情與叙事水乳交融。詩人簡單明瞭地追述了流亡的路綫和經過，留給我們研究其生平的頭手材料。但重點是抒寫心懷，傾吐其去國懷鄉之情，憂讒畏譏之感，以及對楚王朝君昏臣奸、誤國殃民的憤恨情緒。語言樸實自然，寄情深沉懇切，形象生動逼真。思想性和藝術性都達到很高的造詣，與《離騷》同為屈賦中流傳不朽的佳作。

皇天之不純命兮，何百姓之震愆？民離散而相失兮，方仲春而東遷。[1]去故鄉而就遠兮，遵江夏以流亡。出國門而軫懷兮，甲之鼂吾以行。[2]發郢都而去閭兮，怊荒忽其焉極？楫齊揚以容與兮，

75

哀見君而不再得！[3]望長楸而太息兮，涕淫淫其若
霰。過夏首而西浮兮，顧龍門而不見。[4]心嬋媛而
傷懷兮，眇不知其所蹠。順風波以從流兮，焉洋
洋而爲客。[5]淩陽侯之氾濫兮，忽翱翔之焉薄？心
絓結而不解兮，思蹇產而不釋。[6]將運舟而下浮兮，
上洞庭而下江。去終古之所居兮，今逍遙而來東。[7]

【注釋】

1 皇天：猶言蒼天。皇，大。　純命：命運固定。純，單一。
百姓：貴族的總稱。《尚書・堯典》：“九族既睦，平章百姓。”
傳：“百姓，百官。”《詩・小雅・天保》：“羣黎百姓。”箋：“百
姓，百官族姓也。”文中指屈原及其家族。　震愆：動蕩不安。震，
震蕩。愆，出岔子。　民：人，謂自己及親屬。　失：失散。　方：
正當。　仲春：夏曆二月。　遷：移徙。

“皇天”四句說：蒼天不給人以確定的命運，爲何我們這樣
動蕩不安？家破人散，正當仲春時節，我流亡東遷。

2 去：離開。　故鄉：屈原祖籍雖在秭歸，但長期生活在郢
都，故稱郢爲故鄉。　就：由此處向彼處靠近。　遵：沿。　江：
長江。　夏：夏水。古長江在今湖北沙市東南分出一支流，經今監
利縣北再折而東北至今沔陽一帶注入漢水，這條水古稱夏水，今
已湮沒不存。《水經注・夏水》：“江別入沔爲夏水源。夫夏之
爲名，始於分江，冬竭夏流，故納厥稱。”屈原流亡的路綫是從
郢都出發，沿長江東行一段轉入夏水，沿夏水東行入漢水抵夏口
（今湖北武漢市）。　國門：郢都城門。　軫懷：猶言傷心。軫，
傷痛。　甲：古人用干支法紀日。干是天干，即甲、乙、丙、丁、
戊、己、庚、辛、壬、癸；地是地支，即子、丑、寅、卯、辰、
巳、午、未、申、酉、戌、亥。十干和十二支搭配組合爲“六十
甲子”，自甲子起至癸亥止，共六十單元，每單元代表一天，紀

日時依次下推，循環使用。例如：某天爲甲午日，次日則爲乙未日，再一日則爲丙申日。古人有時只說天干，不用地支，文中的"甲之量"即指逢甲那一天的早晨。干支紀日法自商代便開始應用了。古人認爲甲日吉祥，故屈原於是日起程。　龘：同"朝"，音召 zhāo。

"去故鄉"四句說：我告別故鄉走向遠方，沿着江夏流亡。步出國門陣陣心傷，在甲日之晨我乘舟起航。

3 發：自……地方出發。　郢都：譚介甫《屈賦新編》說："'發郢都'太泛，日本青芝山房舊鈔本《渚宮舊事》作'郢浦'，極是。"按：譚說甚確。郢浦即郢都的碼頭。　閭：音呂 lǔ，里巷，指故居。　怊：音超 chāo，悲傷失意。　荒忽：恍忽。　焉：何。　極：往、到。　楫：船槳。　容與：徐行貌。

"發郢都"四句說：離別故居自郢浦出發，悲傷恍忽我將何往？槳楫齊揚緩緩地泛流而去，憂傷啊，從此不能再見君王！

4 長：高大。　楸：音秋 qiū，落葉喬木，高而挺拔，古代墓地多植此樹；文中用"長楸"代表鄉梓。　淫淫：形容淚流不止。　霰：空中降下的小冰珠。　夏首：地名，長江與夏水交界處稱夏首，因其地爲夏水之首端。《水經注·夏水》："江津豫章口東有中夏口，是夏水之首，江之汜也。屈原所謂過夏首而西浮，顧龍門而不見也。"　西浮：夏水總的方向朝東流，但過了夏首的一段則折向西流，船順水勢也向西走，故曰"西浮"。龍門：郢都的東門，楚的宗廟宮室都在東門內。

"望長楸"四句說：望着高大的楸樹長嘆，淚流淸淸好像冰霰。轉過夏首船向西航，回顧龍門再也看不見。

5 嬋媛：同"嘽咺"，音禪元 chán yuán，楚方言，形容憂慮重重。　眇：同"渺"，渺茫。　躍：音直 zhí，《說文》："楚人謂跳躍爲躍。"文中作至、往解。　流：江流。　焉：乃。洋洋：形容水勢浩大。《詩·衞風·碩人》："河水洋洋，北流活活。"傳："洋洋，盛大也。"

"心嬋媛"四句說：心中憂慮而感傷，眼前一片渺茫不知何

77

往。順着風波任從漂蕩，做個汪洋之中無根無柢的羈旅。

6 淩：貼着水面行走。　陽侯：水神名。《戰國策·韓策》："塞漏舟而輕陽侯之波，則舟覆矣。"《漢書·揚雄傳·反離騷》："陵陽侯之素波兮，豈吾纍之獨見許？"應劭曰："陽侯，古之諸侯也，有罪自投江，其神爲大波。"文中指波浪。　氾濫：大水横流貌。氾，同"泛"。《孟子·滕文公上》："當堯之時，天下猶未平，洪水横流，氾濫於天下。"氾濫，或釋爲隨水浮沉，亦通。　翱翔：借鳥的飛翔比喻泛舟。　薄：至。　絓結：鬱結。絓，音掛 guà。　蹇產：起伏不定貌。　釋：解脱。

"淩陽侯"四句説：乘着漫瀚的大波，飛駛的舟船去向何方？心裏的憂愁鬱結不解，思緒紛亂驅遣不散。

7 運舟：猶言放舟。　下浮：指從夏水轉入漢水順流而下。上洞庭而下江：洞庭在上、大江在下。這是詩人從夏口一帶看洞庭和長江的位置而浮現的感覺。　終古：自古以來，久遠。逍遙：悠然自得貌。屈原飽經政治變動之苦，歷盡放逐的風霜，驟然來到夏口逗留，有暫寄客身苟安一時之感，所以説"逍遙"。

"將運舟"四句説：將順流放舟直達夏口，上首是洞庭下邊是大江。離別祖輩居住的故鄉，如今逍遙地來到這東方。

以上二十八句是第一段。追述九年前被逐出郢都時，去國懷鄉的心情和流亡的途程。

羌靈魂之欲歸兮，何須臾而忘反？背夏浦而西思兮，哀故都之日遠！[1]登大墳以遠望兮，聊以舒吾憂心。哀州土之平樂兮，悲江介之遺風。[2]當陵陽之焉至兮，淼南渡之焉如？曾不知夏之爲丘兮，孰兩東門之可蕪？[3]心不怡之長久兮，憂與愁其相接。惟郢路之遠遠兮，江與夏之不可涉。[4]忽若

不信兮，至今九年而不復。慘鬱鬱而不通兮，蹇
侘傺而含慼。[5]

【注釋】

1 羌：句首語助詞，無義。　須臾：頃刻間。　反：同"返"。
夏浦：漢水之濱，漢水古也稱夏水；文中指夏口之水濱。　西
思：郢都在夏浦的西邊，故曰"西思"。

"羌靈魂"四句說：靈魂時時欲歸故土，哪有須臾忘返的時
候？背對夏浦遙思郢都，哀嘆故國日益遙遠。

2 墳：指水濱的土丘。《詩·周南·汝墳》："遵彼汝墳，
伐其條枚。"《方言》一："青幽之閒，凡土而高且大者，謂之
墳。"注："即大陵也。"　舒：散。　州土：九州之中的土地，
文中指郢都地區。　江介：江上。介，中間。　遺風：指江風。
江風從古吹到今，今風好似古風遺傳下來似的，故稱遺風。風，
暗切政治風尚。"州土"二句寫登高引起的感受：州土平坦富庶，
民生本應歡樂，然今日之州土却災難叢生；江風依舊如遠古那樣
吹拂，但楚先輩的良好風尚早已蕩然無存了。

"登大墳"四句說：登臨江濱的高丘極目遠望，聊以排遣我
的憂傷。但是，面對平坦逸樂的故土却湧起悲哀，迎着浩蕩的江
風反生出悽愴。

3 當：值、在。　陵：高丘，即上文的"大墳"。　陽：山
丘的南坡。　焉：何。　淼：音渺 miǎo，水波浩渺。夏浦地當楚
的雲夢澤，湖沼密佈，水網交錯，加之以寬闊的長江、漢水流貫
其間，呈現一派煙波浩渺的景象。　南渡：渡過長江而南下。
如：往。　曾：何。《方言》十："曾，何也。荆之南鄙謂何爲
曾。"　夏：同"廈"，高大的殿堂。《詩·秦風·權輿》："於
我乎，夏屋渠渠。"文中指楚王的宮室。　孰：何。　兩東門：
郢都的兩座東門，其一名曰龍門。　蕪：生長荒草。"夏之爲丘"、
"東門可蕪"乃是亡國的景象。屈原有感於祖國的衰微破敗，對

79

禍國殃民的統治集團無限憤慨。"曾不知"二句抒發了他的這種感情。但此二句還寓託着屈原更深的感慨。據《吳越春秋·夫差內傳》載："（夫差）乃使人賜屬鏤之劍，子胥受劍，徒跣裳裳下堂中庭，仰天呼怨曰：'吾始爲汝父忠臣，立吳，設謀破楚，南服勁越，威加諸侯，有霸王之功。今汝不用吾言，反賜我劍。吾今日死，吳宮爲墟，庭生蔓草，越人掘汝社稷，安忘我乎？'"屈原爲楚多建功勛，而竟遭流放；楚君不用屈原之謀，國家日見衰落，幾近滅亡，大有"宮爲墟，庭生蔓草"之勢。屈原一向以伍子胥爲表率，並以之度己：《涉江》說"忠不必用"，"伍子逢殃"；《悲回風》說"浮江淮而入海兮，從子胥而自適"。屈伍二人遭遇極爲相像，屈原此時的思想實有與子胥死前所發牢騷相類似的地方，"夏之爲丘"、"東門可蕪"，就包涵着同樣的感慨。

"當陵陽"四句說：我站在高丘之陽該去何方？烟波渺茫縱然南渡又當何往？爲何不知高殿將化爲丘墟，兩座東門又怎忍讓它荒蕪！

4 怡：音移 yí，樂。 江：長江。 夏：夏水。江、夏，指歸郢的水路。

"心不怡"四句說：長久以來心情不快，令人憂慮的事接踵而來。歸郢之路漫長遼遠，江、夏深廣也難以涉渡。

5 忽：恍忽。 若：彷彿。 信：眞實。 復：返。 蹇：發語詞。 佗傺：失意不得志的情態。 感：悲。

"忽若"四句說：心神恍忽，這一切變故竟是事實，令人難以置信，至今已經九年我仍未能回去。慘悽積鬱而不暢快，隱忍着冤屈和痛楚。

以上二十句是第二段。寫放逐生涯中憂慮國事，感慨自身的悲慘遭遇。

外承歡之汋約兮，諶荏弱而難持。忠湛湛而願進兮，妒被離而鄣之。[1]堯舜之抗行兮，瞭杳杳

而薄天。眾讒人之嫉妒兮，被以不慈之偽名。²憎
慍惀之脩美兮，好夫人之忼慨。眾踥蹀而日進兮，
美超遠而逾邁。³

【注釋】

1 汋約：柔順嫵媚貌。汋，音卓 zhuó。　諶：音晨 chén，
確實。　荏弱：柔弱。　持：自持。　湛湛：濃重貌。《詩·小
雅·湛露》：“湛湛露斯，匪陽不晞。”傳：“湛湛，露茂盛貌。”
文中形容忠厚誠實。　被離：分披散亂貌。文中是離間之意。被，
同“披”。　鄣：遮蔽。

“外承歡”四句說：羣奸用柔媚的姿態博取君王歡心，君王
又確實荏弱沒有成熟的主見。願爲國進忠的良臣，都被離間妒恨
和阻擋。

2 堯：傳說是原始社會末期活動於今山西西南部的部落聯盟
的首領。帝嚳之子，名放勳，姓伊祁氏，號陶唐，史稱唐堯。他
遴選舜爲繼承人，經多年的考察，傳位於舜。相傳堯曾領導過治
理洪水的鬥爭。堯知其子丹朱不肖，不足委以天下。他認爲“終
不以天下之病而利一人”，所以終不傳子而傳位於舜。《新序·
節士》：“昔堯之治天下，舉天下而傳之他人，至無欲也。擇賢
而與之其位，至公也。以至無欲、至公之行示天下，故不賞而民
勸，不罰而民畏。舜亦猶然。”　舜：相傳是東夷人，有虞氏，姚
姓，名重華。堯老年時，他攝行政事多年，流共工於幽陵，放驩
兜於崇山，遷三苗於三危，殛鯀於羽山；他繼位後重用賢良有才
幹的禹治理洪水，稷管理農事，皋陶主掌法律，伯夷負責祭祀禮
儀，契主持民事教育等，把天下治理得很好。後舜傳位於禹。堯
舜是古人奉爲聖賢的典範人物，其事迹可參見《史記·五帝本紀》。

抗行：高尚的行爲，指堯舜一心爲公，不謀私利，不傳子而擇
賢傳位的品行。　瞭：目光明亮，文中是光明之意。　杳杳：高
遠貌。　薄：迫。　被：加給。

81

"堯舜"四句說：堯舜崇高的行爲，光照高遠的天空。但衆讒佞出於嫉妒，却加給他不慈愛兒子的罪名。

3 憕惛惀：音運埨 yùn lùn，聰明內蘊貌。　好：音浩 hào，喜好。　夫：那些，指羣奸。　忼慨：激昂貌。　蹀蹀：音泄諜 xiè dié，輕佻貌。　超：遠。　逾邁：越走越遠。逾，同"愈"，越……越……。邁，遠行。

"憎憕惛惀"四句說：君王厭惡聰明蘊藉的美才，喜愛那些人佯裝的激昂慷慨。小人浮華不實一天天晉昇，忠賢橫遭排斥越逐越遠。

以上十二句是第三段。抨擊朝中壞人得勢，忠賢遠黜。

亂曰：曼余目以流觀兮，冀一反之何時？鳥飛反故鄉兮，狐死必首丘。信非吾罪而棄逐兮，何日夜而忘之！

【注釋】

曼：同"漫"，遠。曼余目，猶言我放眼遠眺。　流觀：環視。　冀：希望。　反：同"返"，下同。　首丘：相傳狐狸死時頭總朝着故穴的土丘。《禮記·檀弓上》："古之人有言曰：'狐死正丘首。'"疏："所以正首而向丘者，丘是狐窟穴根本之處。雖狠狽而死，意猶向此丘。"《淮南子·說林》："鳥飛反鄉，兔走歸窟，狐死首丘，寒將翔水，各哀（愛）其所生。"　信：眞。

"曼余目"六句說：放眼遠眺環視四野，盼望回返，但不知要等到何時？鳥兒也要飛歸舊鄉，狐狸至死頭還朝向故土一方。我確實無罪而被流放，日日夜夜怎能遺忘！

這六句亂詞是末段。寫懷念故國的殷切心情和對無罪被逐的憤恨情緒。

82

悲 回 風

　　本篇是即景有感而作。情調沉痛悽涼，詩人對國家命運和自己的前途日感悲觀絕望，通篇都流露着這種情緒。因此，《悲回風》可能是詩人投江前一年，至多是前兩三年寫成的。

　　篇中大體是爲自己申寃明志，抒發憤鬱憂國之情。詩中將自己的遭遇、國家的危亡，以及複雜的思想感情，生動形象地融注隱寓到對自然景象的描寫中去。乍看是景，細玩則是情，似情又似景，景中寓着情，使讀者感悟到他光明坦蕩的品格和蒙受的奇寃，感悟到他以天下爲己任，國在人在、國亡己亡的愛國摯情。這是本篇獨到的藝術風格，也是其感人之所在。

　　悲回風之搖蕙兮，心寃結而內傷。物有微而
隕性兮，聲有隱而先倡。

【注釋】

　　回風：旋風。　蕙：香草名。　寃結：寃憤鬱結。　物：指蕙草。　微：同“媺”，音美 měi，善美。《周禮·考工記·輈人》：“輈有三理，一者以爲媺也。”疏：“云一者以爲美也者，無節目，是軸之美狀也。”　隕：滅。　性：生命。　聲：心聲。

　　隱：痛。《禮記·檀弓下》：“拜稽顙，哀戚之至隱也。稽顙，隱之甚也。”　倡：同“唱”，指寫作本詩。詩人目睹秋風搖蕙，想到奸邪對自己的陷害；從蕙草的凋謝，想到國家和自己的命運。他非常痛苦，憤激悲切之情已是非迸發出來不可了。

　　“悲回風”四句說：旋風搖撼芳香的蕙草勾起心中的悲涼，

我沉積着寃憤鬱結而憂傷。蕭殺的秋風摧殘蕙草的美質，痛苦的心聲唱出血淚的詩章。

以上四句是第一段。寫面對秋景感慨萬千，故作此詩發憤抒情。

夫何彭咸之造思兮，暨志介而不忘？萬變其情豈可蓋兮，孰虛偽之可長！[1]鳥獸鳴以號羣兮，草苴比而不芳。魚葺鱗以自別兮，蛟龍隱其文章。[2]故荼薺不同畝兮，蘭茝幽而獨芳。惟佳人之永都兮，更統世而自貺。[3]眇遠志之所及兮，憐浮雲之相羊。介眇志之所惑兮，竊賦詩之所明。[4]

【注釋】

1 彭咸：巫彭、巫咸。 造思：招致思念。 暨：及。 介：正直。 其情：指事物的眞情。 蓋：掩蓋。 孰：何。屈原認爲，彭、咸品格端正，所以爲後人所懷念。自己光明磊落，雖遭誣陷，是非混淆一時，但謊言總會被戳破，眞相終將大白。

"夫何"四句說：爲何彭、咸使人如此懷想，以及銘記他正直的品德而不遺忘？世情縱然千變萬化，事物的眞相難道可以掩藏？欺騙和虛偽哪能維持得久長！

2 草苴：泛指秋天衰枯的草。苴，音居 jū，枯草。 比：並排，文中有聚集的意思。 葺：覆。《左傳》襄公三十一年："繕完葺牆，以待賓客。"注："葺，覆也。"《釋文》："謂以草覆牆。"文中是裝點之意。 自別：自我炫耀。別，不同於一般。 蛟龍：傳說中的一種無角的龍類動物，高貴而神異。 隱：藏。 文章：花紋色彩。這四句明寫秋景，暗寓比喻義：鳥獸號羣，明物以類聚人以羣分，而己與衆奸不同羣；草苴比，喩羣奸結爲朋黨；不芳，喩羣奸一片污濁；魚葺鱗自別，喩小人得志；蛟龍

84

隱其文章，喻賢臣遠斥不得爲國展其才。

"鳥獸"四句說：鳥獸鳴叫呼號召喚同伴，枯草成叢沒有半絲兒芬芳。魚兒裝飾着鱗片浮沉泳游自我炫耀，蛟龍潛伏水底隱藏了奇異的文章。

3 荼薺：苦菜、甜菜。《詩·邶風·谷風》："誰謂荼苦，其甘如薺。"傳："荼，苦菜也。"薺，音寄 jì，一種味甘美的菜蔬，葉可作羹湯。 畝：田壠。 蘭茝：蘭草和白芷，屈原自喻。 幽：幽僻。 惟：思。 佳人：指巫彭、巫咸。 永：長。 都：盛美。《詩·鄭風·有女同車》："彼美孟姜，洵美且都。" 更：改變，音庚 gēng。 統世：猶言世代。統，系。 自眖：自比彭、咸，即以彭咸爲楷模之意。眖：同"況"，比。

"故荼薺"四句說：所以苦荼和甘薺不能同壠播種，蘭茝生於幽僻之處獨自散發着馨香。我思慕彭、咸永世長存的美德，雖然時代更迭仍奉之爲處世的榜樣。

4 眇遠志：遠大的志向。眇，同"渺"，高遠。 及：趕得上。 憐：惜。 相羊：徘徊遊蕩。或釋爲無所依貌。王逸注："相羊，無所據依之貌也。" 介：卓犖。 眇志：即"遠志"。 惑：疑惑。 竊：暗、私下裏。屈原在放逐中作詩，所以說竊。 賦詩：誦詩。詩，指本篇"惟佳人之獨懷兮"至"刻著志之無適"這段詩歌。

"眇遠志"四句說：我遠大的志向及得上彭、咸的理想，可惜我只如浮雲一樣孤獨地遊蕩。人們疑忌我與衆不同的心懷，我唯有在私下裏作一篇詩歌辯白。

以上十六句是第二段。寫己志行高潔，同羣奸不能並容，哀嘆空負才華、徒抱理想而無所用之。

惟佳人之獨懷兮，折若椒以自處。曾歔欷之嗟嗟兮，獨隱伏而思慮。[1]涕泣交而淒淒兮，思不眠以至曙。終長夜之曼曼兮，掩此哀而不去。[2]寤從容以周流兮，聊逍遙以自恃。傷太息之愍憐兮，氣於邑而不可止。[3]糺思心以爲纕兮，編愁苦以爲膺。折若木以蔽光兮，隨飄風之所仍。[4]存髣髴而不見兮，心踴躍其若湯。撫珮衽以案志兮，超惘惘而遂行。[5]歲曶曶其若頹兮，時亦冉冉而將至。蘋蘅槁而節離兮，芳以歇而不比。[6]憐思心之不可懲兮，證此言之不可聊。寧溘死而流亡兮，不忍爲此之常愁！[7]孤子唫而抆淚兮，放子出而不還。孰能思而不隱兮，昭彭咸之所聞。[8]

【注釋】

1 惟：思。　佳人：指彭、咸。　獨懷：獨特的胸懷。　若椒：杜若和申椒，皆芳香植物。　曾：同"層"，重複。　歔欷：音虛希 xū xī，嘆息。　嗟嗟：感嘆聲。　隱伏：隱居蟄伏，謂流放在偏遠之地。　思慮：指爲己之遭遇和國事日非而愁思憂慮。

"惟佳人"四句說：我仰慕彭、咸偉大的胸懷，折取杜若和申椒抱節自守。我一次次歔欷嗟嘆，獨自淹留在深山密林焦慮煩憂。

2 涕泣：謂眼淚。《詩·衛風·氓》："不見復關，泣涕漣漣。"涕泣，同"泣涕"。　淒淒：淚流漣漣貌。一說寒涼貌。《詩·鄭風·風雨》："風雨淒淒，雞鳴喈喈。"　曙：天亮。　曼曼：同"漫漫"，漫長。　掩：文中是抑制、平息的意思。　此：指"獨隱伏而思慮"。

"涕泣"四句說：眼淚錯落地漣漣流淌，思來想去徹夜難眠直至天亮。在漫漫的長夜之中，我始終控制不住內心的憂傷。

3 寤：睡醒，文中是起床的意思。　從容：舒緩貌。　周流：猶言周遊，文中指散步。　聊：姑且。　自恃：自我寬解。恃，

憑藉，指藉漫步逍遙來寬慰愁懷。　懲憐：憂鬱哀憐。懲，同
"憫"。　氣於邑：氣息促迫哽塞。於，音烏 wū。

"寤從容"四句說：清晨起來漫步閑遊，姑且逍遙求得暫時
的歡娛。可是傷心嘆息籠罩着憂鬱哀憐的情緒，胸中憋悶不住地
長吁短嘆。

4 糺：同"糾"，洪興祖補注："糺，繩三合也。"文中是
編結之意。　思心：謂懷君憂國之思緒。　纕：音襄 xiāng，佩
飾。或謂纕爲佩帶。王逸注："纕，佩帶也。"按：纕爲編織的
飾物。　膺：貼胸的內衣。或謂膺爲"纓"之借字，冠纓。　若
木：傳說中的神樹，生長在太陽落山的地方。《淮南子·地形》：
"若木在建木西，末有十日，其華照下地。"注："若木端有十
日，狀如蓮花；華，猶光也，光照其下也。"參見《離騷》"折
若木以拂日"注。　飄風：狂飆。《詩·小雅·何人斯》："彼
何人斯，其爲飄風。"傳："飄風，暴起之風。"　仍：文中是
往的意思。

"糺思心"四句說：把思緒編爲佩飾，將愁苦織成胸衣。折
一枝若木遮蔽陽光，隨從狂飆任其吹蕩。

頭兩句謂愁苦填充胸臆；三四句喻國事日非不忍目睹，更左
右不了國家與自己之命運，唯聽之任之而已。

5 存：視野中眞實存在的事物。　髣髴：同"彷彿"。　踊
躍：躍出貌。《詩·邶風·擊鼓》："擊鼓其鏜，踊（踴）躍用
兵。"文中是劇烈跳動貌。　湯：沸水。　珮衽：佩飾和衣襟。
珮，同"佩"。　案志：壓抑激情。案，同"按"。　超：同"怊"，
愁苦。　惘惘：迷惘貌。王逸注："失志偟遽而直逝也。"　邃：
同"遂"，深遠。

"存髣髴"四句說：精神恍忽看不清眼前的事物，心兒砰砰
跳動好像翻騰的沸水。撫摩佩飾和衣襟壓抑內心的激情，在悵惘
失意之中徬徨遠行。

6 歲：歲月。　曶曶：同"忽忽"，形容迅疾，文中比喻歲
月流逝。　頹：下落。　當：同"時"，指死亡的時刻。　冉冉：

漸進貌。　蘋：草名，生於江湖水濱。　蘺：香草名，即杜蘺，又叫蘺蕪。　槁：枯。　節：草莖的關節。　離：指莖節枯折。

以：同"已"。　歇：停。　比：聚攏。歇而不比，謂芬芳消散不復存。蘋蘺枯折、芳香消散，比喻年歲老邁，才華衰減，一切似乎都已無望了。王逸注："喻已年衰，齒隨落也；志意已盡，知慮闕也。"

"歲曶曶"四句說：歲月流駛如同物體下墜一樣快，死亡那一天即將來臨。青翠的蘋蘺枯槁折斷，芬馥的濃香已經消散。

7 憐：愛，文中是珍視之意。　不可懲：猶言不改變。懲，因受挫而回心轉意。　此言：當合為一"訾"字。古人文章豎寫，屈賦經輾轉傳抄，後人誤將"訾"拆寫為"此"與"言"兩個字。訾，音疵 cī，讒言。　聊：信賴。　溘：音客 kè，忽然。　流亡：隨水波漂流而去。流，隨水漂流。

"憐思"四句說：我珍視至今仍無變化的耿耿忠心，這證明讒言和誹謗多麼荒誕。我寧願驟然死去隨水漂流，也不忍這樣長此以往滿腹憂愁！

8 孤子：孤兒。《文選·高唐賦》："孤子寡婦，寒心酸鼻。"注："《禮記·王制》曰：'小而無父謂之孤。'"　唫：同"吟"，呻吟。　扱：音吻 wěn，擦拭。　放子：逐出家門的孩子。王逸注："屈原傷己無安樂之志，而有孤放之悲也。"　還：謂還家。執：誰。　隱：痛苦。或謂隱，憂之意。《詩·邶風·柏舟》："耿耿不寐，如有隱憂。"　昭：發揚光大。　所聞：猶言所知，謂彭、咸所持的志節和處世哲學。

"孤子"四句說：我像呻吟抹淚的孤兒，又似被逐出家門的放子。細想這種情景誰能不感到痛苦，但我仍要光大彭、咸的志節潔身自處。

以上三十二句是第三段。寫在放逐生涯中冷落孤寂的處境和憂慮國運的心情，感慨歲華徒逝，悲憫苦難的遭遇。

　　登石巒以遠望兮，路眇眇之默默。入景響之

無應兮，聞省想而不可得。[1]愁鬱鬱之無快兮，居
戚戚而不可解。心鞿羈而不形兮，氣繚轉而自縭。[2]
穆眇眇之無垠兮，莽芒芒之無儀。聲有隱而相感
兮，物有純而不可爲。[3]藐蔓蔓之不可量兮，縹綿
綿之不可紆。愁悄悄之常悲兮，翩冥冥之不可娛。
淩大波而流風兮，託彭咸之所居！[4]

【注釋】

1 巏：小而尖聳的山。　路：指通向故國的道路。　眇眇：
遼遠。眇，同“渺”。《管子·內業》：“渺渺乎如窮無極。”
注：“渺渺，微遠貌。”　默默：沉靜貌。王逸注：“郢道遼遠，
居僻陋也。”洪興祖補注：“默默，寂無人聲也。”　入：進入，
指生活在“景響之無應”的環境中。　景：同“影”，指自己的
影子。　響：音響。《尚書·大禹謨》：“惟影響。”傳：“如
影之隨形，響之應聲。”　應：反應。景響之無應，謂無他人的
身影、發出聲響也無回音，形容身單影隻、與世隔絕，以及環境
空虛寂寥。王逸注：“竄在山野無人域也。”　聞：聽，指探聽
朝中與國家大事等消息。　省想：默想。省，音醒 xǐng。

“登石巏”四句說：登臨石山向遠處眺望，道路遼遠而靜默。
我滯留於這無人影無回響的地方，聽不到故國的消息也難想像如
今是怎樣的境況！

2 “愁鬱鬱”句：王逸注：“中心煩冤常懷忿也。”　居：
當爲“思”之誤。王逸注此句說，“思念憔悴相連接也”。可證
王注本爲“思”字。　戚戚：心衝動貌。《孟子·梁惠王上》：
“於我心有戚戚焉。”注：“戚戚然心有動也。”文中是形容思
緒纏綿。　鞿羈：束縛。鞿，音機 jī，馬繮繩。羈，音激 jī，馬籠
頭。　繚轉：繚繞貌。　縭：結。王逸注：“思念緊卷而成結也。”

“愁鬱鬱”四句說：愁懷沉鬱沒有快活，憂思撩亂永難解脫。

89

心被緊緊縛住舒展不開，氣息憋悶彷彿扭結在一塊。

3 穆：肅靜。 無垠：無邊。垠，音銀 yín，邊際。 莽：草木幽深彌漫貌。 芒芒：同"茫茫"，廣大貌。《詩·商頌·玄鳥》："宅殷土芒芒。" 無儀：失去了儀容，指草木在秋風中凋殘。 聲：心聲。 隱：痛。 相感：指被秋景所觸動。 物：指秋色中的草木。 純：純潔，謂草木的質地。 不可爲：無可奈何。

"穆眇眇"四句說：大地寂靜遼遠無邊無際，莽莽的草木凋殘改容。秋色蕭條牽動我內心的憂傷，草木純粹的質地也無力抵擋肅殺的秋風。

屈原即景生情，聯想到自己被陷害，有如秋風中的草木。

4 邈：同"邈"，遠。 蔓蔓：同"漫漫"，長遠。 量：測量。 縹：細微。 綿綿：不絕貌。《詩·王風·葛藟》："縣縣葛藟，在河之滸。"傳："縣縣，長不絕之貌。" 不可紆：猶言不可斷。紆，縈曲。王逸注："細微之思難斷絕也。" 悄悄：憂愁貌。《詩·邶風·柏舟》："憂心悄悄，慍於羣小。"傳："悄悄，憂貌。" 翩：飛翔貌。 冥冥：虛空幽暗貌。《管子·內業》："冥冥乎不見其形。" 淩：貼水面而行。 流風：順風而行。 託：寄寓。託彭、咸之所居，彭、咸是已故的先賢，寄於其所居，即意味着死。

"邈蔓蔓"六句說：歸路漫長不可測量，思緒綿綿不可斷絕。深憂重慮使我長處悲哀，我飛舞在黑暗中看不見光明也沒有歡快。我願在大波上乘風翱翔，尋找彭、咸居住的地方！

這六句情緒沉痛，涵義甚爲深刻。詩人所以要從彭、咸於地下，有兩個原因：一是國祚將盡，痛不欲生，願以死從義；二是憤恨庸君憎惡羣奸，不想與之共存於世上，欲超脫楚國的塵垢之鄉，到先賢所居的潔淨地方。總之，是污濁的現實逼迫他不能不死。

以上十八句是第四段。寫詩人在蕭瑟的秋景中登山遠眺時的心境，——憂慮國家的命運，亟感前景黯淡，意欲以身殉國。

上高巖之峭岸兮，處雌蜺之標顛。據青冥而
攄虹兮，遂儵忽而捫天。[1]吸湛露之浮涼兮，漱凝
霜之雰雰。依風穴以自息兮，忽傾寤以嬋媛。[2]馮
崑崙以瞰霧兮，隱岷山以清江。憚涌湍之礚礚兮，
聽波聲之洶洶。[3]紛容容之無經兮，罔芒芒之無紀。
軋洋洋之無從兮，馳委移之焉止？[4]漂翻翻其上下
兮，翼遙遙其左右；氾潏潏其前後兮，伴張弛之
信期。[5]觀炎氣之相仍兮，窺煙液之所積。悲霜雪
之俱下兮，聽潮水之相擊。[6]借光景以往來兮，施
黃棘之枉策。求介子之所存兮，見伯夷之放迹。
心調度而弗去兮，刻著志之無適。[7]

【注釋】

1 峭岸：峭峻。　雌蜺：彩虹的內環叫虹，外環稱蜺（霓）；
古人認爲虹爲陽性，蜺爲雌性，故稱雌蜺。　標顛：頂端。標，
樹梢。　據：憑靠。　青冥：晴空。　攄虹：揮舞彩虹。攄，音
書 shū，舒展。　遂：順。　儵忽：形容快。儵，同“倏”，音
書 shū。　捫：音門 mén，撫摸。

“上高巖”四句說：我登上峭峻的山巖，高踞於雌蜺的頂
端。背靠晴空手舞彩練，我忽然順勢摸着了青天。

這四句比喻昔日受懷王的信用，處於優越的地位，並按照自
己的意志治理國政，爲平生最得意之時。

2 吸：吮吸。　湛露：濃重的露水。《詩·小雅·湛露》：
“湛湛露斯，在彼豐草。”浮涼：清涼。　漱：滌口。　凝霜：猶
言濃霜。　雰雰：音分 fēn，雪飄落貌。《詩·小雅·信南山》：
“上天同雲，雨雪雰雰。”傳：“雰雰，雪貌。”文中形容霜降

貌。　風穴：古代傳說，北方有風穴，寒風自中出。洪興祖補注："《歸藏》曰：'乾者積石風穴之㵄㵄。'《淮南》曰：'鳳凰羽翼弱水，暮宿風穴。'注云：'風穴，北方寒風從地出也。'"風穴，喻讒人之口。　自息：猶言呼吸。自，鼻，《說文》："自，鼻也，象鼻形。"息，氣息。　忽：忽然。　傾寤：謂處境危險。傾，側身。寤，同"牾"，音五wǔ，不順。　嘽咺：同"嘽咺"，驚懼貌。一二句比喻己注重修養，德操高尚；三四句比喻遭受讒害，處境險惡。

"吸湛露"四句說：我吮吸清涼的濃露，用霏霏的嚴霜漱口。我靠在風穴旁呼吸寒冷的空氣，陡然間發現我側身處險而非常驚駭。

3 馮：同"憑"，依靠。　澂霧：廓清迷霧。　澂：同"澄"。　隱：音印 yìn，憑依。《莊子·徐無鬼》："南伯子綦隱几而坐，仰天而噓。"注："隱，於靳反。"　岐山：山名，即岷山，岐同"岷"，又名汶山。在今四川與甘肅交界處，岷江發源於此山。古人誤認今岷江即長江之源。《尚書·禹貢》："岷山之陽，至于衡山。"傳："岷山，（長）江所出，在梁州。"清胡渭《禹貢錐指》說："諸家言岷山所在，不一而足，然山雖廣遠，而江水所出，必有定處，近世無能窮其源者。《隋·經籍志》有《尋江源記》一卷，今不傳。"　清江：澄清江水。江，文中指長江，實為岷江。　憚：怕。　涌湍：奔湧的急流。　礚礚：音科 kē，水石撞擊聲。　洶洶：水波騰湧貌，文中為激流聲。

"馮崑崙"四句說：我靠著崑崙欲廓清羣山的迷霧，我憑著岷山願澄清污濁的江水。可是，我畏懼礚礚衝撞的激流，怕聽洶洶咆哮的波濤之聲。

屈原切望蕩滌楚國的迷霧濁水，可是羣奸勢盛，讒言蜂湧，他只有望洋興嘆而已。

4 紛：亂。　容容：動亂貌。《漢書·禮樂志·郊祀歌·華爆爆》："神之行，旌容容。"容，動。《廣雅·釋詁》："搈，動也。"王念孫疏證："楚辭九章云：'悲秋風之動容兮'，《韓

92

子·揚攉篇》云：'動之溶之'，溶、搈、容並通。" 經：紡織物上的豎綫叫經，橫綫稱緯；文中是準則之意。 罔：同"惘"。罔芒芒，迷惘不清貌。 紀：綱紀。《詩·大雅·棫樸》："勉勉我王，綱紀四方。"箋："以罔罟喻爲政，張之爲綱，理之爲紀。" 軋：廣闊貌。《文選·枚叔·七發》："訇隱匈礚，軋盤涌裔。"注："軋坱無垠貌也。" 洋洋：水波浩淼貌。 委移：同"逶迤"，綿長曲折貌。 焉：何。

"紛容容"四句形容詩人的心情，說：紛亂不定漫無主張，昏昏沉沉沒個紀綱。浩浩淼淼無所適從，奔馳在逶迤的路上止於何方？

5 漂：吹。《詩·鄭風·蘀兮》："蘀兮蘀兮，風其漂女。"傳："漂，猶吹也。" 翻翻：飛翔貌。漂翻翻，隨風飄搖貌。 遙遙：同"搖搖"。 氾：同"泛"。 潏潏：音決 jué，水湧流貌。 伴：同"畔"，背叛。洪興祖補注："伴，讀若背畔之畔，言己嘗以弛張之道期於君，而君背之也。" 張：緊。弛：鬆。張弛，有規律地一鬆一緊，比喻治國。 信：誠懇。期：期望。

"漂翻翻"四句說：你像隨風翻飛的鳥上下無定，翅膀搖搖擺擺忽左忽右；你像泛濫的洪水前前後後地亂流，拋棄了曾經讚助的主張，辜負了我誠懇的期望。

懷王先是信用屈原，後又貶黜他；先是採納屈原的內政外交政策，後又推翻它。這四句委婉地批評了懷王這種覆雨翻雲的政治態度。

6 炎氣：熱氣，指春天蒸發上升的陽氣。《禮記·月令》："孟春之月，……是月也，天氣下降，地氣上騰，天地和同，草木萌動。" 相仍：相繼。 烟液之所積：上升的烟雲積久而化爲雨水。液，水液，指雨。

"觀炎氣"四句說：我觀望春日的陽氣不斷蒸騰上升，我窺視烟雲蘊積化爲一陣陣大雨。我悲嘆嚴霜凝雪紛紛下墜，我辛酸地傾聽潮水拍擊的聲音。

此四句分寫春、夏、秋、冬四季景象（爲叶韵而秋冬倒轉），使上文聯翩而下的悲激交替的感情至此停頓轉折，以引起下文。詩人隻身放逐，迭經季節的更替、時世的變易，而故園千里，河山創痍，遙想庸君不悟，羣奸擅政，國事日非，感慨繫之矣！觀、窺、悲、聽、雖僅四個字，却包含着無限的辛酸，詩人沉痛、憤激、愁苦的心情，都蘊蓄於其中了。

7借：憑，文中是乘的意思。　光景：陽光。　施：加，文中指鞭撻馬兒。　黃棘：一種有刺的木。　枉策：彎曲的鞭子。朱熹《楚辭集注》說：“以棘爲策，旣有芒刺，而又不直，則馬傷深而行速。”　介子：春秋時晉國賢者介子推。他追隨晉文公重耳在外流亡十九年，途中斷炊，割己肉給重耳吃。重耳返國即位後，衆人請功爭賞，介子推不聲不響，重耳也未提及其功。於是，他逃亡綿山隱居起來。重耳憶及他的功績，派人上山尋找，介子不肯露面，重耳下令燒山逼他出來，介子推抱樹燒死。　所存：猶言所在。　伯夷：堯臣，後事舜。據這句看，伯夷也被流放過。參見《橘頌》注。　放迹：流放的遺迹。　調度：權衡思量。調，謀畫。度，忖度。　弗去：謂不離開介子焚死之所和伯夷流放之處，意謂仿效先賢，亦含從死之意。　刻：深。　著志：明志。　無適：無路可走。適，往。

“借光景”六句說：我願乘飛駛的陽光周遊天地間，以彎曲的黃棘作鞭筴而快馬加鞭。訪求介子捨身存義之所在，我發現了伯夷放逐之遺迹。我權衡思量決計不再離開其地，堅定地表明志向：我已無別的路可走。

以上三十句是第五段。譴責羣奸陷害異己，指摘懷王搖擺誤國，憂念祖國之前途，並明示自己效法介子與伯夷的願望。

曰：吾怨往昔之所冀兮，悼來者之悐悐。浮江淮而入海兮，從子胥而自適。[1]望大河之洲渚兮，悲申徒之抗迹。驟諫君而不聽兮，任重石之何益！

心絓結而不解兮，思蹇產而不釋！[2]

【注釋】

1 曰：曰以下乃亂詞，依屈賦體例，當爲"亂曰"二字，軼一"亂"字。 冀：希望。 悼：傷痛。《詩·衞風·氓》："靜言思之，躬自悼矣。"傳："悼，傷也。" 惄惄：同"惕惕"，驚恐憂懼貌。來者，指亡國的大難。 浮：漂浮。 江：長江。 淮：淮水。 從：跟隨。 子胥：伍子胥。詳《涉江》注。 適：往。相傳吳王夫差將子胥遺體拋入江心後，伍屍氣若奔馬流向大海。《越絕書·德序外傳記》："王使人捐（子胥屍）於大江口，勇士執之，乃有遺響，發憤馳騰，氣若奔馬，威凌萬物，歸神大海。"伍子胥因忠誠而被陷害致死，而屈子之遭遇同他有類似之處，故云願隨子胥浮江淮入海。

"吾怨"四句說：我怨恨昔日的期望都化爲泡影，想到來日的大難我就憂懼驚惶。我願隨著江淮的水波漂蕩，緊跟伍子胥流入廣闊的海洋。

2 大河：從詩人晚年流浪的地望看，大河當指長江或沅、湘。 申徒：人名，即申徒狄，複姓申徒。相傳是殷人，因諫紂王無效，負石投入雍水而死。《文選·鄒陽〈獄中上書自明〉》："是以申徒狄蹈雍之河，徐衍負石入海，不容於世，義不苟取比周於朝，以移主上之心。"注："服虔曰：殷之末世人也。如淳曰：莊周云：申徒狄諫而不聽，負石自投河。" 抗迹：崇高的行爲。 驟：屢次。 任：負。 重石：沉重的石頭。 何益：有什麼益處？ 絓結：糾結。

"望大河"六句說：我望著大河中的洲渚，爲申徒狄高亢的行迹而悲憫。雖說多次進諫都不聽從，但背負重石投河又於事何補！我心中的憂愁鬱結不散，紛亂的思緒難以排遣！

以上十句是末段。詩人欲以死殉國，但又覺得不足以挽救國難，因而不忍遽死，思想紛亂而痛苦。

懷　沙

本篇作於詩人投江自盡前的一個月。詩中"限之以大故"、"知死不可讓"，說明寫於自盡之前；"汩徂南土"，說明正當南下汩羅的途中；"滔滔孟夏"，說明時值初夏四月，而詩人死於五月五日：這是公認的。所以，我判斷此詩作於死前一個月，大抵不錯。

詩人在篇中指斥昏君權奸"變白爲黑"、"倒上爲下"，對楚國黑暗腐敗的世道大張撻伐。詩人此時對於楚國統治集團有了更深刻的認識。篇中交織着因嫉世傷國、壯志沉淪而飲恨終生的憤懣和哀怨，也寫出了他在國難當頭的時候，從容就死的慷慨氣度。

《楚辭》的研究者，過去多以本篇爲屈原的絕命詞，並釋"懷沙"爲懷石自沉。其實絕筆之作是《惜往日》，"懷沙"乃懷念長沙之意。

關於"懷沙"的解釋，清代學者蔣驥在《山帶閣注楚辭》中，有一段精彩中肯的論述，深得"懷沙"所涵思想的要旨。茲引錄如下："懷沙之名，與'哀郢'、'涉江'同義，沙本地名。《腠甲經》：沙土之祇，雲陽氏之墟；《路史》記雲陽氏、神農氏皆宅於沙，即今長沙之地，汩羅所在也。曰'懷沙'者，蓋寓懷其地，欲往而就死焉耳！……原將下著其志，而上悟其君，死而無聞，非其所也。長沙爲楚東南之會，去郢未遠，固與荒徼絕異，且熊繹始封，實在於此（按：熊繹曾在此有過活動，始封地在丹陽，不在此）；原既放逐，不敢北越大江，而歸死先王故居，則亦首丘之意，所以惓惓有懷也。篇中首紀徂南之事，而要歸誓之以死。蓋原自是不復他往，而懷石沉淵之意，於斯而決。故史於原之死，特載之。若以‘懷沙’爲懷石，失其旨矣。”

從屈原晚年的作品看，他死前的思想誠如蔣驥所分析的那樣。古人云：死或輕於鴻毛，或重於泰山。屈原之所以死於汨羅，正爲着首丘於先祖與國家，“下著其志，而上悟其君”，賦其死以重於泰山之意義也。

滔滔孟夏兮，草木莽莽。傷懷永哀兮，汨徂南土。[1]眴兮杳杳，孔靜幽默。鬱結紆軫兮，離愍而長鞠。[2]

【注釋】

1 滔滔：同“陶陶”，形容溫暖。　孟夏：初夏，夏曆四月。莽莽：草木連綿茂盛貌。王逸注：“言孟夏四月，純陽用事，煦成萬物，草木之類莫不莽莽盛茂，自傷不蒙君惠，而獨放棄，曾不若草木也。”　傷懷：傷心。　永：長久。　汨：音玉 yù，迅速。　徂：音殂 cú，往。《詩·大雅·桑柔》：“自西徂東，靡無定處。”

“滔滔”四句說：陽光融融的初夏，草木繁茂盛發。我懷着積久的哀傷，奔向南方。

2 眴：音瞬 shùn，視。　杳杳：廣遠貌。　孔：甚。《詩·大雅·崧高》：“吉甫作誦，其詩孔碩。”　幽默：僻靜。王逸注：“言江南山高澤深，視之冥冥，野甚清靜，漠無人聲。”　離：同“罹”，遭受。　愍：憂痛。　鞠：窮困潦倒。《尚書·盤庚中》：“爾惟自鞠自苦。”傳：“鞠，窮也。”

“眴兮”四句說：眼前是遼闊的河山，一片沉寂渺無人煙。心中鬱悶痛苦纏綿，自從盡忠招怨我一直蒙受着苦難。

以上八句是第一段。寫南行路上孤寂的環境和痛苦的心情。

撫情效志兮，冤屈而自抑。刓方以爲圜兮，常

97

度未替。¹易初本廸兮，君子所鄙。章畫志墨兮，前
圖未改。²

【注釋】
1 撫情：追憶前情。　劾志：猶言捫心自問。劾，當爲"劾"
之誤，考查的意思。　抑：克制。　刓：音玩 wán，削。　圜：同
"圓"。　常度：常則。　替：廢。
"撫情"四句說：追憶前情捫心自問，我有什麼不是？滿腹
的冤屈强自抑制。方物能削成圓的東西，但人生的常則我可不能
廢棄！
2 本廸：根本原則。廸，道理。《尚書·大禹謨》："惠廸
吉。"傳："廸，道也。"　章畫志墨：猶言章志畫墨。章志，牢
記。章，同"彰"，明；志，記。畫墨，準則。畫，木工畫圓的
工具；墨，木工打直綫的繩墨。　前圖：猶言前志。圖，意圖。
"易初"四句說：改變最初確定的基本原則，這是正人君子
之所鄙薄。牢記我遵循的道理，不改昔日的志向。
"易初"句即《思美人》"欲變節以從俗兮，媿易初而屈志"
的另一種說法。
以上八句爲第二段。在決心赴死之時，詩人回顧此生，覺得
問心無愧。

　　内厚質正兮，大人所盛。巧倕不斵兮，孰察
其撥正？¹玄文處幽兮，矇瞍謂之不章。離婁微睇
兮，瞽以爲無明。²變白以爲黑兮，倒上以爲下。鳳
皇在笯兮，雞鶩翔舞。³同糅玉石兮，一槩而相量。
夫惟黨人之鄙妒兮，羌不知余之所臧！⁴任重載盛
兮，陷滯而不濟。懷瑾握瑜兮，窮不知所示。⁵邑

98

犬羣吠兮，吠所怪也。非俊疑傑兮，固庸態也。[6]

【注釋】

1厚：敦厚。　質：本質。　大人：偉人。　盛：讚許。王逸注：“言人質性敦厚，心志正直，行無過失，則大人君子所盛美也。”　巧：技藝高超。《周禮·地官·考工記》：“材美工巧。”　倕：音垂 chuí，人名，或作垂，相傳爲黄帝時的能工巧匠，規矩準繩、耒耜等均爲其所造做。按：倕乃古代傳說中的巧工的代表人物，非必有其人，或謂是堯或舜時人。請參閱張澍稡輯《世本》。　斲：音酌 zhuó，砍削。　孰：誰。　察：明瞭。　撥：彎曲、不正。《荀子·正論》：“羿、蠭門者，天下之善射者也，不能以撥弓曲矢中。”注：“撥弓，不正之弓。”王逸注：“言倕不以斤斧斲斫，則曲木不治，誰知其工巧者乎？”

“內厚”四句說：內心敦厚本質純正，這恰是偉人之所稱頌。但是，正如巧倕不操作誰也不知其落斧是歪是正一樣，不遇明主誰識別他的賢才而加以重用！

2玄文：黑赤色花紋。《說文》：“黑而有赤色者爲玄。”　幽：暗。　矇瞍：音蒙叟 méng sǒu，有瞳眸無視力叫矇，無瞳眸稱瞍。《詩·大雅·靈臺》：“鼉鼓逢逢，矇瞍奏公。”　章：文采。《尚書·皋陶謨》：“天命有德，五服五章哉。”傳：“尊卑采章各異，所以命有德。”　離婁：古人名，以視力敏銳著稱。《孟子·離婁上》趙岐注：“離婁者，古之明目者。蓋以爲黄帝時人也。黄帝亡其玄珠，使離朱索之，離朱即離婁也。能視於百步之外，見秋毫之末。”　睇：音弟 dì，微視貌。　瞽：瞎子。　無明：無視力。

“玄文”四句說：美麗的玄文置於幽暗之處，矇瞍說它沒有文采。離婁睇視便明察一切，瞎子卻認爲他目盲。

3皇：同鳳。　笯：音奴 nú，鳥籠。《方言》十三：“籠，南楚或謂之笯。”　鶩：音霧 wù，鴨。王逸注：“言聖人困厄，小人得志也。”

99

"變白"四句說：將白的看成墨黑，把上下完全顛倒。鳳凰囚於樊籠裏，雞鴨却四處飛翔舞蹈。

4 同糅：混合雜糅。　槩：同"概"，古代量糧食時，刮平斗斛的工具。一概相量，猶言等同看待。王逸注："賢愚雜厠；忠佞不異。"　惟：思。　黨人：謂羣奸。　臧：音髒 zāng，善，指內在美質。

"同糅"四句說：美玉和石頭混雜在一塊，不分青紅皂白一樣看待。細思量黨人如此卑鄙嫉妬，哪能理解我純潔的內在！

5 任：承受。　載：裝載。　盛：多。　陷滯：沉陷滯留，比喻政治上的失敗。　濟：成功。王逸注："言己才力盛壯，可任重載而身放棄，陷沒沉滯不得成其本志。"　瑾、瑜：美玉。洪興祖補注："傳云：鍾山之玉，瑾瑜爲良。"《淮南子·俶眞》："鍾山之玉，炊以鑪炭，三日三夜而色澤不變。"可見瑾和瑜實爲玉中之良美者。懷瑾握瑜，喻己品德高尚才華內蘊。　示：展示。不知所示，謂無人問津。

"任重"四句說：我足以承擔治國的重任，但失勢沉淪理想竟化爲烟雲。雖然懷珍瑜握美玉，然而處境困窘無人垂問。

屈原曾擔當楚國之大任，竭忠盡職。可是，不但其正確主張行不通，而且一旦失勢，像他這樣的英才竟終生被拋置荒野。"任重"四句深藏着痛苦和幽怨，對楚國的官場政治也是尖銳的揭露。

6 邑：古代稱聚居地爲邑，即當時的城鎮。　邑犬：喻羣奸。怪：驚異。　非：同"誹"。《荀子·解蔽》："百姓怨非而不用，賢良退處而隱逃。"注："非，或爲誹。"　疑：猜忌。固：本來。　庸：卑劣的庸人。　態：謂處世態度。

"邑犬"四句說：村邑的狗，羣起狂吠，吠牠們認爲怪異的事物。誹謗俊才，疑忌英傑，本是卑鄙的庸人處世之道。

以上二十四句是第三段。寫楚國一片汚濁，黑白顛倒，英俊埋沒，賢哲受迫害。

文質疏內兮，衆不知余之異采。材朴委積兮，

100

莫知余之所有。[1]重仁襲義兮，謹厚以爲豐。重華不可遌兮，孰知余之從容？[2]古固有不並兮，豈知其何故！湯禹久遠兮，邈而不可慕也！[3]懲違改忿兮，抑心而自強。離慜而不遷兮，願志之有像。[4]進路北次兮，日昧昧其將暮。舒憂娛哀兮，限之以大故！[5]

【注釋】

1 文質：儀容、質地。文，外觀（形式）；質，質地（內容）。《論語·雍也》："質勝文則野（粗陋），文勝質則史（虛浮）。文質彬彬，然後君子。" 疏內：淳樸。內，音納 nà，同"訥"，不善言。 異采：特異的光采，謂出類拔萃。 材朴：即朴材，未加工的木材。朴，木皮。《老子·道經》："敦兮其若朴。" 委：委棄。 積：堆積。 所有：所具有的用途。

"文質"四句說：我儀表樸實質地淳厚，衆人不知我內蘊的異采。好似堆棄一旁的原木，沒有誰懂得我的眞正用場。

2 重、襲：均爲重複之意。重，音蟲 chóng。 豐：充實。重華：舜名。 遌：音鄂 è，遇。 從容：行動，舉措。

"重仁"四句說：我反覆以仁義哺育自己，恭謹忠厚使內質充盈。我遇不到賢聖的重華，誰還能理解我的行動？

3 並：並存，謂聖君賢臣同時並存。 湯：商殷的開國君主。本爲商部族首領，任用賢臣伊尹執政，漸趨強大，蓄謀滅夏。湯首先剪除夏的盟國葛、昆吾等，之後一舉攻滅夏桀，建立了商朝，都於亳。湯自號"武王"，商人稱之爲唐、大乙、高祖乙，後人稱其爲武湯、天乙、成湯或成唐。 禹：相傳是原始社會末期夏后氏部族的首領，姓姒氏，名文命，黃帝的玄孫，鯀之子。舜委命他治理洪水。據說他以益、稷爲其助手，親率民衆開龍門、鑿伊闕，疏導黃河，終於平息了洪水，功勛卓著。傳說他在外治水十三年，三過家門而不入，辛勤勞苦，腿上的汗毛都磨光了。禹娶塗山氏女爲妻，生子啓。後舜禪位於禹。禹和湯二人爲歷代所傳頌稱道，關於禹湯的事迹散見於古代文獻，有不少傳說性甚至神話性的記載。《史記》中夏本紀和殷本紀的記述較有系統，讀者可參酌。 邈：音渺miǎo，遠。 慕：思念。

"古固有"四句說：明主賢臣古來就難以並存，誰知這是什麼緣故？商湯夏禹相去久遠，遠得簡直無法思慕！

4 懲：引以爲戒。 違：久遠，指"古固有不並"等歷史經驗。《爾雅·釋詁》："違，遠也。"或釋違同"愇"，恚恨之意，據上下文義，恐非。懲違，引歷史經驗爲誡。 改忿：指改變憤世的態度。懲違改忿，即《涉江》"與全世而皆然兮，吾又何怨乎今之人"的意思。 抑：控制。 離愍：遭遇苦難。離，同"罹"；愍，同"憫"。 遷：改。 志：思想志趣。 像：榜樣。王逸注："言己自勉修善，身雖遭病，心終不徙，願志行流於後世，爲人法也。"

"懲違"四句說：世事本來如此無須抱嫉世的態度，且抑制創痛的心靈振作自強。遭打擊逢災殃絲毫不轉變立場，但願我的思想言行能留做後人的榜樣。

5 進路：順路前進。 北次：猶言北上。次，舍，指在旅途或征途中止宿。 日昧昧其將暮：比喻楚國奄奄垂危的形勢。昧，暗。 娛：排遣。 大故：重大的事故，其內涵依場合而不同。《論語·微子》："故舊無大故，則不棄也。"文中指死亡。

"進路"四句說：我想沿着去郢都的道路北返，可是日薄西山一片昏暗。排除憂愁遣散哀怨，我已走到了生命的極限！

以上二十句是第四段。寫一生懷才不遇，壯志沉埋，歷盡人世的滄桑，並對國家的危亡形勢表示無限的沉痛。

亂曰：浩浩沅湘，分流汩兮。脩路幽蔽，道遠忽兮![1] 懷情抱質，獨無匹兮。伯樂既沒，驥焉程兮？[2]民生稟命，各有所錯兮。定心廣志，余何畏懼兮！[3]曾傷爰哀，永嘆喟兮！世溷濁莫吾知，人心不可謂兮！[4]知死不可讓，願勿愛兮！明告君子，吾將以為類兮！[5]

【注釋】

1 浩浩：水波浩蕩貌。《尚書·堯典》："湯湯洪水方割，蕩蕩懷山襄陵，浩浩滔天。"傳："（洪水）包山上陵，浩浩盛大若漫天。" 分流：湧流。分，同"紛"。 汩：音古 gǔ，即汩汩，水流聲。 脩：長。 蔽：荒漠。 忽：迷茫。

"浩浩"四句說：浩浩的沅水湘江，汩汩地日夜流淌。漫長的道路幽僻荒漠，前途迷迷茫茫。

2 匹：伴，指志同道合者。王逸注："言己懷敦篤之質，抱忠信之情，不與眾同。故孤煢獨行，無有雙匹也。" 伯樂：相傳為春秋秦穆公時人，以善相馬而聞名於世。 驥：騏驥，千里良馬。 焉：何。 程：量度，識別。

"懷情"四句說：我懷抱誠實的衷情質樸的心地，煢煢孤寂沒有知己。伯樂既已死去，誰還識別日行千里的騏驥？

3 民生：人生。 稟：受。 命：命運。 錯：同"措"，安放。

"民生"四句說：人生各受其命，各有其歸宿之地。安下心來讓胸懷更加寬廣，我又有什麼可畏懼！

4 曾：同"層"。 爰：音選 xuǎn，同"咺"。《方言》一："凡哀泣而不止曰咺。" 永：長。 嘆喟：嘆息。喟，音潰 kuì。溷濁：混濁。 謂：說。

"曾傷"四句說：重重的憂傷無盡的哀惋，我一聲聲喟然長嘆。世情混濁誰能理解我，人心叵測尚復何言！

5 讓：避開。 愛：同"哀"。 明告：光明偉大。告，同"皓"。郭沫若《屈原賦今譯》自注："原作'明告君子'，'明

103

告，當讀爲‘明皓’，乃君子之形容辭。”按：郭說甚確。　君子：謂殺身成仁的前代賢者。　以爲類：以爲榜樣。類，師法。

“知死”四句說：知道死亡無可避讓，願你不要悲傷！光明偉大、捨生取義的君子啊，我將以你爲師法的榜樣！

以上二十句是末段。寫決心以死殉國，捨身成仁。

惜 往 日

《惜往日》是詩人的絕命辭。據文中“不畢辭而赴淵兮，惜壅君之不識”等語，可知本篇作於汨羅投江的前夕。

篇中概述了詩人在懷、襄兩朝的主要經歷，表白他清白無瑕的一生。詩人首先自豪地追述他在懷王朝當政時“奉先功以照下”，“明法度之嫌疑”，使“國富强而法立”的往事；而後筆鋒一轉指向衆奸，猛烈抨擊他們中傷離間，誣陷忠良的罪行，並批評懷、襄兩位“壅君”不考核事實，信讒言而逐忠臣，使“讒諛”日見得勢，國政日益腐敗的嚴重錯誤。

詩人明確指出，國家的富强在於“明法度”，即有一套適合國情的政策和法令制度，做爲治國的依據；他認爲，“壅君”與羣奸合流，“背法度而心治”，是造成國家趨向衰亡的根本原因。這是他在長期的政治鬥爭中，以血淚換來的經驗教訓。

詩人最後說，他不忍目睹祖國亡於秦人之手，他決計走殉國的道路，以了却痛苦。

這篇絕命辭情緒固然極爲沉痛，但是，絕無庸人在臨死前所常有的那種悲悲啼啼的兒女情態。辭中處處顯示着詩人對國家的一片忠誠，對讒臣的深惡痛絕，以及對“壅君”誤國的憤恨和痛惜。

我們還可以看出，自盡前的詩人依然對頃襄王抱着一綫希望，

104

期待他在國家危急存亡之秋及時覺醒，爲拯救國難做最後的努力。他寫作本詩的主要目的，就是爲着以死諫君，寄希望於身後。

惜往日之曾信兮，受命詔以昭時。奉先功以照下兮，明法度之嫌疑。[1]國富強而法立兮，屬貞臣而日娭。秘密事之載心兮，雖過失猶弗治。[2]心純厖而不泄兮，遭讒人而嫉之。君含怒而待臣兮，不清澈其然否。[3]蔽晦君之聰明兮，虛惑誤又以欺。弗參驗以考實兮，遠遷臣而弗思。信讒諛之溷濁兮，盛氣志而過之。[4]

【注釋】

1 惜：痛惜。　曾信：謂曾受到懷王的信用。　命詔：命令。詔，上級指示下屬。　昭時：使國家昌盛。昭，明；時，世。《史記·屈原列傳》："（屈原）博聞彊志，明於治亂，嫻於辭令。入則與王圖議國事，以出號令；出則接遇賓客，應對諸侯，王甚任之。"　奉：繼承。　先功：先祖之功業。　照下：照耀下民。明：使……明確。　法度：法令制度。《尚書·大禹謨》："儆戒無虞，罔失法度。"　嫌疑：疑難不決之事。《荀子·解蔽》："故導之以理，養之以清，物莫之傾，則足以定是非，決嫌疑矣。"

"惜往日"四句說：痛心啊！回想昔日曾被君王信用，接受詔命把國家治理昌盛。繼承先祖的功業造福下民，決斷疑難使法度明確可行。

2 富：經濟力量雄厚。　強：軍力強大。　法立：法令制度確立。　屬：音煮 zhǔ，託付。　貞臣：忠貞之臣，屈原自謂。日娭：指屈原與懷王的關係日益融洽。娭，音希 xī，同"嬉"，歡娛。　秘密事：機要大事。　載心：裝在心裏。　弗治：不懲

105

罰。

"國富强"四句說：國家富强法度也已確立，君王信賴忠臣與我日見親密。機要大事都裝在心裏，雖犯過失也不追究懲治。

3 純厖：純樸。厖，厚重。　不泄：猶言不亂說。泄，透露。王逸注："素性敦厚慎語言也。"　讒人：指子蘭、靳尚、上官大夫等奸邪之輩。　含怒待臣：指上官大夫奪屈原的憲令草藁未遂，因短毀屈原，懷王怒而疏屈原一事。臣，屈原自稱。　清澂：猶言明察。澂，水一清見底。　然否：對與錯。否，音疋 pǐ。

"心純厖"四句說：我內心純樸言語謹慎，竟然也受到羣小的嫉恨。君王誤信讒言對我怒氣沖沖，也不查清是非曲直。

4 蔽晦：蒙蔽。晦，暗。　聰：聽覺好。　明：視力強。《管子·內業》："耳目聰明，四枝堅固。"　虛：無中生有。　惑誤：指以謠言矇騙人。惑，以假亂眞。　參驗：比較驗證。　考實：查明事實。　遷：流放。　弗：不。　讒諛：慣於進讒言、阿諛奉承的人。　氣志：意氣。　過：督過、責難。　之：指屈原。

"蔽晦君"六句說：讒言謗語蒙蔽君王的眼睛，毀言誹語將他欺矇。他不比較驗證以查明眞情，不假思索便把我遠遷異域。他盲信奸佞的混賬話，盛氣之下對我橫加指責。

以上十八句是第一段。追述昔日受懷王的信用和自己的貢獻，說明被放逐的原因：奸人進讒，君王受騙。

何貞臣之無罪兮，被離謗而見尤？慙光景之誠信兮，身幽隱而備之。[1]臨沅湘之玄淵兮，遂自忍而沈流！卒沒身而絕名兮，惜壅君之不昭！[2]君無度而弗察兮，使芳草爲藪幽。焉舒情而抽信兮，恬死亡而不聊。獨鄣壅而蔽隱兮，使貞臣爲無由。[3]

106

【注释】

1 辜：同“罪”。　被：加。　離：同“罹”。　見尤：獲罪。　憝：憾恨。　光景：猶言明暗。景，同“影”。　誠信：質性謹厚。　身幽隱：處身於幽遠偏僻之地。　備：具備。

“何貞臣”四句說：爲什麼無辜的忠臣，竟遭毀謗而獲罪？明裏暗裏我都誠厚如一，却處於這荒僻之地，令我抱恨心傷！

2 沅湘：詩人當時在湘江、汨羅江一帶，“沅湘”乃泛指這一地區的江水，非特指沅水和湘江。　玄淵：深潭。　遂：終竟。　忍：文中是不忍的意思。　沈流：猶言投江。流，水流。　卒：同“猝”，突然。　壅君：被壅蔽的君王，指頃襄王。壅，音雍 yōng，堵塞。　昭：文中是醒悟之意。

“臨沅湘”四句說：我站在沅湘的深水旁，終究不忍投入滾滾的波濤中。猝然沒身斷送名譽不足掛齒，只痛惜受壅蔽的君王仍不覺悟！

3 度：尺度、準則。　芳草：詩人自喻。　藪幽：湖沼中幽暗的地方。藪，音叟 sǒu，湖沼。　焉：何。　抽：引出，文中是表白之意。　恬：音田 tián，安然。　不聊：不苟且偷生。　鄣：隔絕。　隱：埋没。鄣壅蔽隱，指被隔絕於荒涼的流放地。

無由：無從，謂無從盡忠。王逸注：“遠放隔塞在裔土也；欲竭忠節靡其道也。”

“君無度”六句說：君王既無原則行事又不詳察考究，置芳草於幽暗的湖沼中。我怎樣抒發隱衷表白忠誠？安於死亡吧，不必苟且偷生！孤獨地與世隔絕，忠貞的我無從爲國効忠。

以上十四句是第二段。寫死固不足惜，但不能爲國効力，而君王終不覺悟，乃引以爲終身之憾。

　　聞百里之爲虜兮，伊尹烹於庖厨。呂望屠於朝歌兮，甯戚歌而飯牛。不逢湯武與桓繆兮，世孰云而知之？[1]吳信讒而弗味兮，子胥死而後憂。

介子忠而立枯兮，文君寤而追求。[2] 封介山而爲之禁兮，報大德之優游。思久故之親身兮，因縞素而哭之。[3] 或忠信而死節兮，或訑謾而不疑。弗省察而按實兮，聽讒人之虛辭。芳與澤其雜糅兮，孰申旦而別之？[4]

【注釋】

1 百里：百里傒，春秋虞國大夫，曾爲晉國之俘虜。《史記·秦本紀》："晉獻公滅虞、虢，虜虞君與其大夫百里傒，以璧馬賂於虞故也。既虜百里傒，以爲秦繆公夫人媵於秦。百里傒亡秦走宛，楚鄙人執之。繆公聞百里傒賢，欲重贖之，恐楚人不與，乃使人謂楚曰：'吾媵臣百里傒在焉，請以五羖羊皮贖之。'楚人遂許與之。當是時，百里傒年已七十餘。繆公釋其囚，與語國事。謝曰：'臣亡國之臣，何足問！'繆公曰：'虞君不用子，故亡，非子罪也。'固問，語三日，繆公大悅，授之國政，號曰五羖大夫。"關於百里傒的事迹，諸書所記互有舛異，今取《秦本紀》之說。　伊尹：商湯的賢相，名摯。伊是私名，尹是官名。伊尹在商史中佔有重要地位。在古代文獻和甲骨卜辭中都有關於他的記載。他與大乙（商湯）並見於一片卜辭上，可見商人很尊重他。相傳他本是湯妃有莘氏陪嫁的媵臣，出身卑賤，做過厨子。《墨子·尚賢中》："伊摯，有莘氏女之私臣，親爲庖人。湯得之，舉以爲己相，與接天下之政，治天下之民。"參見《天問》注。　庖厨：厨房。庖，音袍 páo。　呂望：周文王、武王的大臣。據說他在殷紂的陪都朝歌當屠夫，周文王發現他有才能，移樽就教，他說："下屠屠牛，上屠屠國。"文王便請他上車，一同歸周。後佐文王子武王滅商。《史記·齊世家》："太公望呂尚者，東海上人。……本姓姜氏，從其封姓，故曰呂尚。"《說苑·尊賢》："太公望，故老婦之出夫也，朝歌之屠佐也，棘津迎客之舍人也，年七十而相周。" 朝歌：地名。自商王帝乙至紂均作爲陪都，城中有鹿臺，故地在今河南淇縣朝歌鎮。《史記·殷本紀》正義引《括地志》："《竹書紀年》：'自盤庚徙殷至紂之滅二百五十三年，更不徙都，紂時稍大其邑，南距朝歌，北據邯鄲及沙丘，皆爲離宮別館。'" 甯戚：齊桓公的大臣。相傳他在餵牛的時候巧遇桓公，叩牛角而歌，桓公停車諦聽，知其賢明，便擢爲大夫。甯，音佞 nìng。《呂氏春秋·舉難》："甯戚欲干齊桓公，窮困無以自進，於是爲商旅將任車以至齊。暮宿於郭門之外。桓公郊迎客，夜開門，……甯戚飯牛居車下，望桓公而悲，擊牛角疾歌。桓公聞之，撫其僕之手曰：'異哉！之歌者，非常人也。'命後車載之。"《晏子春秋·內篇·問下》："昔吾先君桓公，……聞甯戚歌，止車而聽之，則賢人之風也，舉以爲大夫。" 飯：餵。 湯武：商湯和周武王。 桓繆：齊桓公和秦繆公。孰：誰。 云：說，文中是談論傳誦之意。

"聞百里"六句說：聽說百里傒一度是俘虜，伊尹曾在廚房裏烹調菜餚。呂望在朝歌屠宰牲畜，甯戚歌唱着餵牛。倘若不逢湯武桓繆這樣的明主，誰會談論他們的事迹知道他們的才能？

2 吳：吳王夫差。 信讒：聽信太宰嚭的讒言。 弗味：不深思體察。 子胥：伍子胥。 後憂：以後產生憂患，指吳滅於越。 介子：介子推。 立枯：謂抱樹燒死。立，站立。 文君：晉文公重耳。 寤：同"悟"，覺醒。

"吳信讒"四句說：夫差聽信讒言不理會伍員的忠諫，子胥死後果然遭受滅國的災難。介子忠心耿耿竟至立着燒焦，文公直到醒悟才去尋找。

3 封：帝王加賜爵位名號叫封。 優游：形容恩德深廣。久故：久長的昔日。 親身：不離左右。久故親身，指介子推伴隨晉文公在外流亡十九年。 因：襲，穿。 縞素：白衣服，謂喪服。縞，音搞 gǎo，未着色的素絹。王逸注："言文公思子推親自割其身，恩義尤篤，因爲變服悲而哭之也。"

"封介山"四句說：封綿山爲介山禁止採樵，爲着報答介子的深恩厚德。追念形影不離的往昔，身披縞素而親臨哭祭。

4 或：有的人。　訑謾：欺騙。訑，音但 dàn，同“誕”。　不疑：不被疑忌，謂受寵信。　省察：反省檢查。省，音醒 xǐng。　按實：查明事實。　虛辭：謊言。　澤：汚穢。　申旦：清楚明白。申，明；旦，朝日。　別：鑒別。

“或忠信”六句說：有人因忠信而死節，有人慣於欺詐而受寵用。這在於君上不反省自己也不查考事實，一味聽信讒佞的謊言僞辭。芳香與汚臭混雜在一起，誰能清晰地區分鑒別？

以上二十句是第三段。就歷史事實說明君主睿智，賢臣乃能盡忠，君上昏聵，小人必然得勢的道理，指出在楚國忠良遭殃奸邪猖獗。

何芳草之早殀兮，微霜降而不戒。諒聰不明而蔽壅兮，使讒諛而日得。自前世之嫉賢兮，謂蕙若其不可佩。[1] 妬娃冶之芬芳兮，嫫母姣而自好。雖有西施之美容兮，讒妬入以自代。[2] 願陳情以白行兮，得罪過之不意。情冤見之日明兮，如列宿之錯置。[3] 乘騏驥而馳騁兮，無轡銜而自載；乘氾泭以下流兮，無舟楫而自備。背法度而心治兮，辟與此其無異。[4]

【注釋】

1 芳草：詩人自喻。　殀：音妖 yāo，夭亡。　微霜降：薄霜初降，喻羣奸方欲誣陷詩人的時候。　戒：防備。　諒：實在，眞正。　聰不明：聽覺不靈。《易·噬嗑》：“象曰：何校滅耳，聰不明也。”　蔽壅：掩蔽堵塞。　讒諛：指讒諛之人。　日得：一天天得勢。　前世：指古代。　蕙：香草。　若：杜若。

“何芳草”六句說：爲何芳草過早地殘敗凋傷？因薄霜初降

的時候未加提防。君王蔽於讒言而糊塗昏聵，以至讒諛之徒權勢日盛。自古以來小人便嫉妬賢才，胡說芬芳的蕙若不可佩帶。

2 娃冶：艷麗嫵媚。娃，《方言》二：“娃，艷美也。吳、楚、衡、淮之間曰娃。” 嫫母：相傳是黃帝妃。《漢書·古今人表》：“嫫母，黃帝妃，生倉林。”師古曰：“嫫，音暮，字從巾，即嫫母也。”嫫，與“嫫”同。《列女傳》：“黃帝妃嫫母，於四妃之班居下，貌甚醜。”嫫，音模 mó。 姣：美，文中是裝飾打扮故作媚態的意思。 好：姿容秀美。自好，自以為美。

西施：春秋時越國的美人，相傳是樵夫的女兒。《吳越春秋·勾踐陰謀外傳》：“十二年，越王謂大夫種曰：‘孤聞吳王淫而好色，惑亂沉湎，不領政事，因此而謀可乎？’種曰：‘可破。夫吳王淫而好色，宰嚭佞以曳心，往獻美女，其必受之。惟王選擇美女二人而進之。’越王曰：‘善！’乃使相者國中，得苧蘿山鬻薪之女，曰西施、鄭旦。” 讒妬：慣於進讒嫉妬的人。 自代：以己取代別人。

“妬娃冶”四句說：妬恨美人的嫵媚芬芳，嫫母也裝飾打扮自求漂亮。縱有西施的美麗姿容，讒妬也會挑撥離間取而代之。

3 白：表白。 行：行為。 不意：出乎意料。 情：實情。冤：冤枉。 日明：日益明白。時光流駛，政局劇變，事實證明屈原的政治見解的正確性，羣奸加給他的種種罪名不攻自破，所以說“情冤見之日明”。 列宿：猶言列星。宿，音袖 xiù，星的位次。 錯置：羅列。錯，同“措”，置。

“願陳情”四句說：願再陳訴衷情表白我的言行，罹獲大罪全不在我意料之中。是實情還是冤情看得越來越清，如同夜空的星星井井分明。

4 銜：馬勒口。 自載：指不靠彎銜徒手馭馬。載，從事。《詩·周頌·良耜》：“畟畟良耜，俶載南畝。”文中是駕馭之意。 氾沑：指木筏。氾，同“泛”，浮。沑，同“桴”，筏子。

下流：順水下行。流，水流。 舟楫：船槳。 自備：指不靠槳楫而以手划水運筏。備，文中是理、從事之意。“乘騏驥”四

111

句比喻做事紊亂無章法。 背：違背。 心治：隨心所欲地處理問題。 辟：同"譬"，比喻。 此：指"無轡銜而自載"、"無舟楫而自備"。王逸注："若乘船車無轡楫也。"

"乘騏驥"六句說：乘騏驥飛馳，無繮繩馬勒而徒手控馬；乘木筏泛流，無槳楫而以手划水。違背法度而隨心所欲地處置國事，與這種情況沒有兩樣。

以上二十句是第四段。寫楚國敗亡的原因在於君昏臣奸，排擠賢良而廢棄法度，並再次為己鳴冤。

　寧溘死而流亡兮，恐禍殃之有再。不畢辭而赴淵兮，惜壅君之不識！

【注釋】

　寧：寧可。 溘：驟然。 流亡：隨水漂流而去。 禍殃之有再：再來一次禍殃，指逃亡陳地的楚國小朝廷徹底覆滅；此乃相對於秦軍破郢、頃襄王逃亡陳地這次國難而言。有，又。 畢：完全。 辭：言詞。 惜：顧惜，文中是担憂之意。 壅君：指頃襄王。 不識：不明白，指不明詩人的冤情和他申述的道理。

　"寧溘死"四句說：我寧願猝然死去隨水波漂流，唯恐亡國的大難臨頭。如不吐盡心裏的忠言便投入江淵，担心君王不領悟我的冤情和忠諫！

　這四句是末段。寫自殺的原因，以及作此詩的主旨。

離　騷

　　《離騷》是屈原的代表作，是古典詩歌中優秀的長篇抒情敘事詩。

　　離騷是什麼意思？《國語·楚語上》："德義不行，則邇者騷離，而遠者距違。""騷離"是心懷積怨、憤懑不滿的意思。離騷與騷離都是楚方言，意義也相同。漢人班固解離騷："離，猶遭也；騷，憂也。明己遭憂作辭也。"王逸解離騷："離，別也；騷，愁也。"班、王二人都把離騷分釋。後人也多沿用他們的解釋。其實，他們的解釋不正確，離騷不能分釋。司馬遷說屈原"憂愁幽思而作離騷。離騷者，猶離憂也"（《史記·屈原列傳》）。他是把離騷作為一個詞看待的。

　　《離騷》寫於詩人的晚年。關於寫作年代，由於資料甚少，我們主要依據本詩提供的內證來分析判斷。漢人大抵認為《離騷》作於懷王時代。但文中"余既不難夫離別兮，傷靈脩之數化"，"吾令帝閽開關兮，倚閶闔而望予"，"老冉冉其將至兮，恐脩名之不立"等語，明明告訴讀者詩人已"離別"懷王，被斥逐在外，欲歸而不可得，並且已近老年。那麼，《離騷》非懷王時期的作品，是很清楚的了。《離騷》的五句亂辭表明，詩人此時已在醞釀着以身殉國了。而懷王時代的屈原不應當有這種思想。屈原是一位偉大的愛國詩人，他無時無刻不在關懷國家的命運，他願與國家共存共亡。非到國家岌岌可危的時候，一般說，他不會出現自盡的念頭。而懷王在世時，楚國還沒危急到這種地步。另外，我們在《哀郢》之中還看不到詩人有自盡的想法。因此，《離騷》肯定是詩人晚年的作品，決非懷王時所作。我認為，《離騷》當寫於作《哀郢》之後，作《悲回風》之前。

《離騷》含有豐富深刻的時代內容，是一首鋒芒畢露的政治性長詩。對當時社會的陰暗腐朽面的揭露，有相當的深度和廣度，其攻擊矛頭始終對着庸昧醜惡的楚國上層統治集團。因此，《離騷》實際上是一篇討伐楚國黑暗現實的檄文。當時盛行的結黨營私、爭權奪利、蔽美妒賢、阿諛諂媚等腐朽風氣和惡劣作風，在《離騷》中暴露無遺，強烈地表現了詩人嫉惡如仇的精神。詩人憎恨禍國殃民的權貴們，憤嫉暗昧冷酷的世情，這種情緒在篇中也都隨處流露着。

詩人在篇中反覆申述其偉大的愛國主義思想。全篇處處蕩漾着他愛國的激情，展示出他忠於祖國的高潔純粹的思想品格和忠直坦蕩的胸懷。

《離騷》明確地道出了詩人懷抱的偉大志向，同時也表明了他的忠君思想。

本篇的藝術技巧甚為精湛。《離騷》把現實的寫生和浪漫的幻想緊密交織在一起。比喻形象貼切，想像豐富奇詭，色彩絢麗多變，場面宏偉壯觀，敘事真實感人，託情寓意，虛實結合，加以大量運用神話傳說，把日月風雲，鸞鳳虯龍，奇花異草……總之是自然界中最瑰麗的景物，都調集到詩篇中來，辭采絢爛，佈局奇特，使《離騷》成為具有永恒魅力的詩章。

　　帝高陽之苗裔兮，朕皇考曰伯庸。[1]攝提貞於孟陬兮，惟庚寅吾以降。[2]皇覽揆余初度兮，肇錫余以嘉名，名余曰正則兮，字余曰靈均。[3]紛吾既有此內美兮，又重之以脩能。扈江離與辟芷兮，紉秋蘭以為佩。[4]汩余若將不及兮，恐年歲之不吾與。朝搴阰之木蘭兮，夕攬洲之宿莽。[5]日月忽其不淹兮，春與秋其代序。惟草木之零落兮，恐美人之

遲暮。⁶不撫壯而棄穢兮，何不改乎此度！乘騏驥
以馳騁兮，來吾道夫先路！⁷

【注釋】

1 帝：上古稱先祖爲帝。帝之本義爲花蒂，花蒂是開花結果
的基盤，故以之喻先祖。　高陽：傳說中的古帝王顓頊（音專虛
zhuān xū）的稱號。《史記・楚世家》："楚之先祖出自帝顓頊
高陽。"　苗裔：後代遠孫。苗，根生長出來的莖葉；裔，衣服
的末緣。　朕：我。　皇考：古人尊稱亡父爲皇考。皇，大。　伯
庸：屈原父親的字。爲使讀者對屈原的族系有較全面的瞭解，茲
據《史記・楚世家》和《左傳》、《世本》等書，列表說明，見
下頁。

"帝高陽"兩句說：我是古帝高陽的遠孫，我偉大的亡父字
伯庸。

2 攝提：太歲年名攝提格的省稱。是年太歲在寅。爲使讀者
易於理解，下面簡要地介紹有關歲星紀年的基本概念。古人根據
歲星的運動，創立了一種紀年的方法，我們稱之爲歲星紀年法。
這種紀年法最早見於《左傳》和《國語》。歲星即木星。古人根
據對木星運動的長期觀察，發現木星大約十二年運行一周天，於
是將黃道附近的周天劃分爲十二等份，稱爲十二次，則木星每年
行經一次。這十二次各有名稱，自西向東分別命名爲：星紀、玄
枵、娵訾、降婁、大梁、實沈、鶉首、鶉火、鶉尾、壽星、大火、
析木。十二次與子、丑、寅、卯、辰、巳、午、未、申、酉、戌、
亥十二支按相反方向搭配，並按木星所在的反方位來紀年，計有
十二個太歲年。這十二個太歲年按次序分別稱爲：赤奮若、困敦、
大淵獻、閹茂、作鄂、涒灘、協洽、敦牂、大荒落、執徐、單閼、
攝提格。紀年的順序按太歲年名依次排列，十二年周而復始。古
書中關於歲星紀年法的記載，以《淮南子・天文訓》、《史記・天
官書》、《春秋緯》爲一類，這一類大抵行於戰國時代。另一類

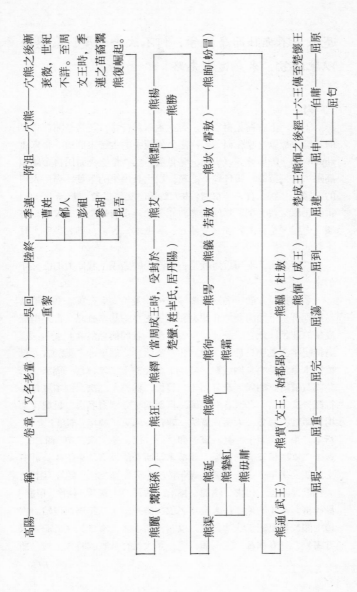

高陽 —— 稱 —— 卷章（又名老童）—— 吳回 —— 陸終 —— 附沮 —— 穴熊 —— 穴熊之後漸衰微，世紀不詳。至周文王時，季連之苗裔鬻熊復崛起。

吳回 —— 重黎

陸終 —— 季連 —— 曹姓／鄖人／彭祖／參胡／昆吾

熊麗（鬻熊係）—— 熊狂 —— 熊繹（當周成王時，受封於楚蠻，姓羋氏，居丹陽）—— 熊艾 —— 熊䵣 —— 熊楊／熊勝

熊渠 —— 熊延 —— 熊嚴 —— 熊霜 —— 熊徇 —— 熊咢 —— 熊儀（若敖）—— 熊坎（霄敖）—— 熊眴（蚡冒）

熊嚴 —— 熊摯紅／熊毋庸

熊徇 —— 熊糈

熊通（武王）—— 熊貲（文王，始都郢）—— 熊囏（杜敖）／熊惲（成王）—— 楚成王熊惲軍之後經十六王傳至楚懷王

屈瑕 —— 屈重 —— 屈完 —— 屈到 —— 屈蕩 —— 屈建 —— 屈申 —— 屈廬（伯庸）—— 屈原

屈瑕 —— 屈匄

可以《漢書·天文志》所記的太初曆紀年法爲代表，其歲星與太歲年的對應關係與前一類不同。這一類大概行於秦以後。現據《淮南子》將第一類列表如次以明之。　貞：正當。　孟：初始。陬：音鄒 zōu，《爾雅·釋天》：“正月爲陬。”夏曆正月屬寅月。古人以十二支與十二個月份相配，一般以夏曆十一月配子，稱建子之月，餘類推，則正月爲建寅之月。　惟：句首語助詞，無義。　庚寅：指干支紀日法中的庚寅日。

“攝提”兩句說：正當寅年寅月庚寅這一天，我誕生了。

“三寅”是屈原誕辰的特點，是我們推算其誕生年代的主要

戰國時代歲星紀年法

歲星所在方位	對應的十二次名	對應的十二支名	太歲年名
析木	星紀	丑	赤奮若
大火	玄枵	子	困敦
壽星	娵訾	亥	大淵獻
鶉尾	降婁	戌	閹茂
鶉火	大梁	酉	作鄂
鶉首	實沈	申	涒灘
實沈	鶉首	未	協洽
大梁	鶉火	午	敦牂
降婁	鶉尾	巳	大荒落
娵訾	壽星	辰	執徐
玄枵	大火	卯	單閼
星紀	析木	寅	攝提格

依據。

　　3　皇：皇考。　　覽揆：猶言察顏觀相。覽，看。揆，忖度。
初度：剛誕生時的氣度。　　肇：同"兆"，卜兆。楚人篤信神巫，
要據占卜的吉兆爲子命名。　　錫：賜。　　正則：公正不偏，即"平"
之意。　　靈均：謂靈異坦蕩的土地，即"原"之意。詩人名平字
原，故名之爲正則，字之以靈均。洪興祖補注："正則以釋名平
之義，靈均以釋字原之義。"

　　"皇覽揆"四句說：父親仔細端詳我初生的器度，根據吉兆
給我起了美名；命名正則，賜字靈均。

　　4　紛：盛多貌。　　內美：內涵的美質。　　重：音崇 chóng，加
上。　　脩能：端莊的儀表。能，同"態"。　　扈：楚方言，分
披，文中是探的意思。　　江離：香草，即蘼蕪。　　辟：同"僻"，
幽僻。　　芷：白芷。辟芷，謂生長於幽深之處芳香出衆的白芷。
紉：穿。　　蘭：蘭草。　　佩：裝飾品。

　　"紛吾"四句說：我既有繁多的內在美質，又配上端莊的儀
表。採集江離和幽潔的白芷，再紉以秋蘭作爲佩飾。

　　5　汨：迅疾貌。　　余：屈原自稱。　　不及：趕不上。　　年歲：
壽命。　　不吾與：不給我。　　搴：音千 qiān，拔。　　阰：音皮 pí，
楚語，大土丘。　　木蘭：一種木本植物，芳香，常青。　　攬：探
撫。　　洲：水中的陸地。　　宿莽：經冬不死的草。宿，音朽 xiǔ。

　　搴木蘭，喻修養美德；攬宿莽，暗含經得起嚴霜冰劍襲擊之
意。

　　"汨余"四句說：我彷彿趕不上如飛的光陰，唯恐飛駛的歲
月不假我以年壽。——清晨拔取土丘上的木蘭，黃昏採集洲渚中
的宿莽。

　　6　忽：迅速貌。　　淹：久留。　　代：更替。　　序：次序。
惟：思。　　零：草木飄落貌。草凋稱零，木謝稱落。　　美人：指
楚懷王。　　暹暮：指年老。暹，晚。

　　"日月"四句說：歲月匆匆地流逝，春秋更迭時節變易。暗
想一年一度草木凋零，唯恐君王徒然地衰頹老邁。

118

7撫: 趁。 穢: 汚穢, 比喩錯誤。 此度: 指"不撫壯而棄穢"的態度。 乘騏驥: 比喩信用賢才。騏驥, 駿馬。 來: 召喚之詞。 道: 同"導"。 先路: 在前頭帶路。

"不撫壯"四句說: 不肯趁壯年及時改正錯誤, 爲何不改變這種態度! 乘上駿馬縱情馳騁吧, 來! 我在前頭爲你帶路。

以上二十四句是第一段。寫自己出身高貴, 注重修養, 品行卓異, 素有輔君爲國的遠大志向。

　　昔三后之純粹兮, 固眾芳之所在。雜申椒與菌桂兮, 豈維紉夫蕙茝?[1] 彼堯舜之耿介兮, 既遵道而得路; 何桀紂之猖披兮, 夫唯捷徑以窘步![2] 惟夫黨人之偷樂兮, 路幽昧以險隘。豈余身之憚殃兮, 恐皇輿之敗績。[3] 忽奔走以先後兮, 及前王之踵武。荃不察余之中情兮, 反信讒而齌怒。[4] 余固知謇謇之爲患兮, 忍而不能舍也。指九天以爲正兮, 夫唯靈脩之故也。[5] 初既與余成言兮, 後悔遁而有他。余既不難夫離別兮, 傷靈脩之數化。[6]

【注釋】

1 三后: 指楚的先祖熊繹和武王熊通、成王熊惲。這三個人都有所成就。后, 君。 純粹: 精而不雜, 謂德行完美。 固: 同"故"。 眾芳: 比喩眾賢臣。 在: 文中是聚集之意。 雜: 混合, 文中有兼的意思。 申椒: 花椒之一種。 菌桂: 芳香木, 即肉桂。 維: 同"唯", 獨。 紉: 綴。 蕙: 即蕙蘭, 一莖開多花, 微香。 茝: 白芷。申椒、菌桂比喩出類拔萃的俊傑, 蕙茝比喩一般的賢才。

"昔三后"四句說: 昔日的三后純粹完美, 所以身邊叢聚着賢俊之材。三后兼佩申椒與菌桂，豈獨綴繫蕙蘭和白芷。

2 彼：邪，指三后。　耿介：光明正大。　遵：遵循。　道：正道，喻正確的治國方針。　路：大路。洪興祖補注：“上言三后，下言堯舜，謂三后遵堯舜之道以得路也。”　桀：夏代的亡國之君，名癸。據說他寵愛美女妹喜，淫亂無德，爲商族首領湯所攻滅。參見《天問》注。　紂：商殷的末代國君，名辛。他天資穎敏，繼承帝乙的戰功，長期對江淮流域的夷方用兵，並平定夷方，擴大了商殷的版圖，促進了江淮一帶經濟文化的發展。但是，他也是一位暴虐無道之君，寵愛美女妲己，殺戮賢臣和諸侯，終至衆叛親離，爲周武王所滅。《史記·殷本紀》：“帝紂資辨捷疾，聞見甚敏；材力過人，手格猛獸；知足以距諫，言足以飾非；矜人臣以能，高天下以聲，以爲皆出己之下。好酒淫樂，嬖於婦人。……厚賦稅以實鹿臺之錢，而盈鉅橋之粟。益收狗馬奇物，充牣宮室。益廣沙丘苑臺，多取野獸飛鳥置其中。……以酒爲池，縣（懸）肉爲林，使男女倮相逐其間，爲長夜之飲。”　猖披：昏亂貌。　捷徑：偏邪的小路。　窘步：猶言寸步難移。

“彼堯舜”四句說：三后像堯舜一樣光明正大，遵循正道走上了康莊坦途；桀紂爲何那麼昏昧，只想巧取捷徑以至於寸步難行！

3 惟：思。　黨人：結爲私黨的小人，指上官大夫、靳尚、子蘭、子椒之流。　偷樂：苟且享樂。　路：喻國家之前途與命運。幽昧：昏暗。　憚：怕。　皇輿：堂皇的車輿，喻國家。皇，大。　敗績：翻車。《禮記·檀弓上》：“魯莊公及宋人戰於乘丘，縣賁父御，卜國爲右，馬驚敗績，公隊（墜）。”文中比喻國家傾覆。

“惟夫”四句說：想那幫黨人鑽營私利苟且偷安，把國家搞得危機四伏前途黯淡。我難道是怕自身遭殃嗎？我慌恐的是國家要滅亡啊！

4 忽：迅速貌。　奔走先後：在“皇輿”前前後後奔走，指擔任左徒時積極進行振興楚國的政治活動而言。走，跑。　前王：

指三后。 踵：足踵。 武：迹。《詩·大雅·下武》：“繩其祖武。”傳：“繩，戒；武，迹也。”踵武，足迹，喻三后的政績與事業。 荃：香草名。洪興祖補注：“荃與蓀同。《莊子》云：‘得魚而忘荃。’音義云：‘蓀孫，香草，可以餌魚。’”文中喻楚懷王。 中情：內情，指屈原“恐皇輿之敗績”、“及前王之踵武”的思想志願。中，同“衷”。 齌怒：暴怒。齌，音即 jì，燒飯的火猛烈。

“忽奔走”四句說：我繞着“皇輿”匆匆地前後奔跑，為着使國家納入前王所走的軌道。君王不體察我的一片忠心，反而輕信讒言勃然大怒。

5 謇謇：說話坦率。 忍：忍受。 舍：棄，謂放棄直諫。九天：即《惜誦》“指蒼天以為正”的蒼天。因蒼天高遠，故謂之九天。九，形容極高。《孫子·形篇》：“善守者，藏於九地之下；善攻者，動於九天之上。”梅堯臣注：“九天，言高不可測。” 正：同“證”。 夫：此。 靈脩：善美的神靈，指懷王。屈原寫作《離騷》時懷王已死，故尊稱“靈”。

“余固知”四句說：我本知忠直之言必招禍患，但我寧受禍患也不捨棄直諫。我敢指蒼天來作證明，這只是為着君王的緣故。

這四句之下本有“曰黃昏以為期兮，羌中道而改路”兩句。洪興祖補注：“一本有此二句，王逸無注，至下文‘羌內恕己以量人’始釋羌義，疑此二句後人所增耳。《九章》曰：‘昔君與我成言兮，曰黃昏以為期。羌中道而回畔兮，反既有此他志。’與此語同。”洪的意見很正確，此二句本為《九章》之文，因錯簡而誤入本篇，故刪去。

6 成言：猶言定約。 悔遁：幡悔逃避，指不兌現諾言。難：以……為難，怕。 離別：指被革除左徒職務而放逐漢北與懷王相別一事。 數化：反覆多變。數，音碩 shuò，屢次。王逸注：“言懷王始信任己，與我平議國政，後用讒言中道悔恨，隱匿其情而有他志也；言我竭忠見過，非難與君離別也，傷念君信用讒言，志數變易無常操也。”

"初既與"四句說：當初你已同我定約，後又懊悔生出別的主意。我不畏革職放逐，唯你反覆多變改志易心令我悲感。

　　以上二十四句是第二段。寫詩人的愛國至誠與對懷王的忠心，本望與懷王同心協力，光大先人的業績，然而懷王信讒背約，詩人深感痛苦。

　　余既滋蘭之九畹兮，又樹蕙之百畝。畦留夷與揭車兮，雜杜衡與芳芷。[1] 冀枝葉之峻茂兮，願竢時乎吾將刈。雖萎絕其亦何傷兮，哀眾芳之蕪穢！[2]

【注釋】

　　1 滋：培植。　蘭：蘭草。　畹：音晚 wǎn，三十畝（古畝制）爲一畹。九畹，言其多。　樹：種植。　蕙：蕙草。　畦：音祈 qí，田隴，文中是分畦種植之意。　留夷：香草名。　揭車：也作"藒車"，草本植物，黃葉白花，味辛香。

　　"余既"四句比喻自己精心培養了不少人材，說：我培育了九畹蘭草，植養了百畝香蕙。一畦畦栽種留夷和揭車，還夾雜着杜衡與芳芷。

　　2 冀：期望。　峻茂：茂盛貌。　竢：同"俟"，等待。　時：芳草成熟之時，喻國家需要人材之日。　刈：收割。　萎絕：枯萎死亡。　蕪穢：荒蕪，喻培養的人材變節。穢，田中野草叢生。

　　"冀枝葉"四句說：期待眾芳草枝葉峻茂，一朝成熟我便伺機收穫。只要美質不變，縱然枯萎又有何妨，但芳草却荒蕪腐敗了，令我悲傷！

　　以上八句是第三段。寫積極培養人材以備使用，不料這些人失節變質，辜負了詩人的期望。

衆皆競進以貪婪兮，憑不猒乎求索。羌內恕己以量人兮，各興心而嫉妒。[1]忽馳騖以追逐兮，非余心之所急。老冉冉其將至兮，恐脩名之不立。[2]朝飲木蘭之墜露兮，夕餐秋菊之落英。苟余情其信姱以練要兮，長顑頷亦何傷。[3]擥木根以結茞兮，貫薜荔之落蘂。矯菌桂以紉蕙兮，索胡繩之纚纚。[4]謇吾法夫前脩兮，非世俗之所服。雖不周於今之人兮，願依彭咸之遺則。[5]

【注釋】

1 衆：謂變質的"衆芳"與朝中羣奸。 競：爭。 進：指追逐權勢利祿。 貪婪：愛財爲貪，貪食爲婪。 憑：楚方言，滿。 猒：同"厭"，滿足。 索：取。王逸注："言在位之人，無有清潔之志，皆並進取貪婪於財利，中心雖滿，猶復求索，不知猒飽也。" 羌：且。 內：內心。 恕：寬容。 量人：猶言算計人。量，度量，計較。 興心：起壞心，玩弄心計。

"衆皆"四句說：衆人競相爭權奪利而貪婪無厭，私囊飽綻仍誅求無已。而且寬恕自己苛求別人，各懷鬼胎嫉妒猜疑。

2 馳騖：奔馳。 冉冉：漸漸。 脩名：美名。王逸注："言人年命冉冉而行，我之衰老將以來至，恐脩身建德而功不成名不立也。《論語》曰：‘君子疾沒世而名不稱焉。’"洪興祖補注："屈子非貪名者，然無善名以傳世君子所耻。"

"忽馳騖"四句說：衆人急惶惶爭權奪利，這決非我所追求的東西。暮年漸漸到來，我唯恐此生美名不立。

3 墜露：懸垂欲滴的露水。 餐：《說文》："餐，吞也。"落英：初放的柔嫩之花。落，初。《爾雅·釋詁》："落，始也。"英，花。飲木蘭之露，餐秋菊之英，比喻品德高潔，同羣奸馳騖

123

於權勢利祿適成鮮明對照。　苟：如果。　信姱：誠實美好。以：而。　練要：精粹。　顑頷：音砍汗 kǎn hàn，憔悴貌，文中喻窮困的處境。

"朝飲"四句說：清晨飲木蘭上凝結的露水，黃昏食秋菊的嫩英。只要我節操美好精粹，即使長期窮困潦倒也無妨。

4擥：同"攬"，探。　木根：木蘭之根。　貫：穿。　落蕊：初生的花蕊。　矯：舉，文中是用的意思。　索：把……編成繩索。　胡繩：香草名。　纚纚：音李 lǐ，連接不斷貌。

"擥木根"四句說：採掘木蘭之根紮以白芷，穿起薜荔嬌嫩的花蕊，再用蕙草纏繞的菌桂，編以胡繩織成纚纚美好的花索，作我的服飾。

詩人以花草編綴的裝飾品象徵自己耿介拔俗、清瑩高潔的節操品德。

5謇：楚方言中的發語詞，無義。　法：仿效。　前脩：猶言前賢，指堯、舜、禹、湯、彭、咸、三后等。　服：服用、佩帶。　不周：不合拍。周，洽。　遺則：遺留的準則。

"謇吾"四句說：我効法前賢披服芳香的花索，這是世俗所不願佩帶的飾物。雖然同當今的鄙俗之人不融和，我却願信守彭、咸的遺則。

以上二十句是第四段。揭露羣奸的醜惡靈魂，闡明自己信守先賢遺則的高尚志節。

長太息以掩涕兮，哀民生之多艱。¹余雖好脩姱以鞿羈兮，謇朝誶而夕替。²既替余以蕙纕兮，又申之以攬茞。亦余心之所善兮，雖九死其猶未悔。³怨靈脩之浩蕩兮，終不察夫民心。眾女嫉余之蛾眉兮，謠諑謂余以善淫。⁴固時俗之工巧兮，偭規矩而改錯；背繩墨以追曲兮，競周容以爲度。⁵

忳鬱邑余侘傺兮，吾獨窮困乎此時也！寧溘死以
流亡兮，余不忍爲此態也。⁶鷙鳥之不羣兮，自前
世而固然。何方圜之能周兮，夫孰異道而相安？⁷
屈心而抑志兮，忍尤而攘詬；伏清白以死直兮，
固前聖之所厚。⁸

【注釋】

1 太息：嘆息。長嘆息，在文中乃表示悲憤沉痛與無可如何
的心情。　掩涕：猶言拭淚。　民生：人生。

"長太息"兩句說：擦拭眼淚，長長地嘆息：人生啊，數不
盡的艱難！

2 雖：同"唯"。　好：音浩 hào，喜愛。　脩姱：美好。
覊：馬繮繩。　羈：馬絡頭。　覊羈，文中是受牽累之意，猶言倒
楣。　謇：謇謇，形容直言的情態。　誶：音碎 suì，諫諍。
替：廢棄。

"余雖好"兩句說：我只因愛好修美才倒了楣，清晨直諫黃
昏便被罷黜。

3 以：因。　蕙纕：裝着蕙草的香囊。纕，音香 xiāng。
又：再。　申：重複。　攬茝：採摘的芳茝。　九死：死多次。
九，泛指多數。王逸注："言己履行忠信，執守淸白，亦我中心
之所美善也。雖以見過肢解，九死終不悔恨。"

"旣替余"四句說：旣因裝飾蕙纕而被罷免，我偏再佩上採
來的芳茝。只要我認爲是善美的，縱然爲之死幾次也不懊悔。

4 浩蕩：糊塗不精細。　終：始終。　民心：人心，謂屈原
之心。　衆女：喻羣奸，此以女性之嫉妬美於己者比喻羣奸嫉恨
屈原。　余：屈原自謂。　蛾眉：蠶蛾眉長而彎曲，用以形容女
人眉毛漂亮。《詩・衛風・碩人》："齒如瓠犀，螓首蛾眉。"
謠諑：造謠誣衊。王逸注："言衆女嫉妬蛾眉美好之人，譖而毀

125

之，謂之美而淫，不可信也，猶衆臣嫉妒忠正，言己淫邪不可任也。"

"怨靈脩"四句說：怨望君王糊塗，始終不明瞭我的忠心。衆人嫉恨我姣美，誣讒我善於淫邪，你竟然相信！

5 時俗：當世的風氣。 工巧：長於投機取巧。 偭：音面miàn，背。 規矩：工匠的圓規、矩尺。 錯：同"措"，措施，指屈原當政時頒行的法令制度等。 繩墨：打直綫的工具，與"規矩"在文中都作原則解。 周容：苟合取容。 度：準則。

"固時俗"四句說：投機取巧本是當今的風尚，羣奸背棄原則妄改措施；爭走邪門歪道，競相苟合取容，並奉此爲人生的準則。

6 忳：音屯 tún，鬱悶不展。 邑：同"悒"。 侘傺：失意貌。 此時：這種地步。 此態：指"背繩墨以追曲，競周容以爲度"的處世態度。

"忳鬱邑"四句說：我憂鬱悶積而不得志，唯獨我窮困潦倒以至於斯！我寧肯猝然死亡隨流而逝，也不願持他們那種處世的態度。

7 鷙鳥：剛烈的猛禽，如鷹之類，乃屈原自喻。 前世：古代。 圜：同"圓"。 周：相合。 孰：何。

"鷙鳥"四句說：鷙鳥與凡鳥不能同羣，自古以來便是如此。方和圓哪能彼此密合，道路不同怎會相安無爭？

8 尤：罪。 攘：同"囊"，包容。 詬：音夠 gòu，恥辱。 伏：保持。 厚：推崇、讚許。

"屈心"四句說：委屈心願壓抑志趣，忍受罪愆包容羞辱。但這又有什麼了不起？保持清白而死於忠直，本爲前代聖賢之所讚許。

以上二十八句是第五段。寫羣奸一味追逐私利，隨意更改政策貽害國家，而自己與之不能相容，矛盾日見尖銳，終爲羣奸所構陷。但詩人有不可動搖的堅定意志：不論環境如何險惡，決不變易志向，放棄理想，寧可清白地死於忠直。

自"帝高陽之苗裔"至"固前聖之所厚"，是本篇的第一部份。寫自己的身世、品德和忠君輔國的理想抱負，追述遭受陷害的原因，表白矢志不變的決心。其中雖間有浪漫色調，但基本是現實主義的正面叙述。以下便轉入假設與幻想，轉入縹縹緲緲的浪漫主義境界去了。

悔相道之不察兮，延佇乎吾將反。回朕車以復路兮，及行迷之未遠。[1]步余馬於蘭皐兮，馳椒丘且焉止息。進不入以離尤兮，退將復脩吾初服。[2]製芰荷以爲衣兮，集芙蓉以爲裳。不吾知其亦已兮，苟余情其信芳。[3]高余冠之岌岌兮，長余佩之陸離。芳與澤其雜糅兮，唯昭質其猶未虧。[4]忽反顧以遊目兮，將往觀乎四荒。佩繽紛其繁飾兮，芳菲菲其彌章。[5]民生各有所樂兮，余獨好脩以爲常。雖體解吾猶未變兮，豈余心之可懲。[6]

【注釋】

1 相：音像 xiàng，選擇。《禮記·月令》："善相丘陵阪險原隰土地所宜。"注："相，擇也。" 不察：未看清。 延佇：長久地佇立。 反：同"返"。 朕：我。 復路：回復到原路，即下文"退將復脩吾初服"之意。 行迷：走入迷途。

"悔相道"四句說：悔恨選錯了道路，躊躇佇立我將回返。回轉車轅重上舊路，趁走入迷途未遠的時候。

2 步：漫步。 蘭皐：生長着蘭草的水濱。 椒丘：長着花椒樹的土丘。 且：暫時。 焉：於此。 止息：休息。 進：指做官。 入：納，指爲楚王所信用。 離：同"罹"。 尤：罪。 退：謂退出官場。 復：再、重新。 脩初服：修飾最初穿的

127

衣服，指恢復仕宦前的生活。

　　"步余馬"四句說：讓我的馬在蘭皋緩步逍遙，馳上椒丘在那兒暫且休息。進仕不見用反而招來罪愆，我將退而修養我的美德。

　　屈原在污濁的官場備遭打擊誣害，一度產生"往者不可諫，來者猶可追"的情緒，欲急流勇退，潔身自處。"將反"、"復路"即指此而言。但詩人在下文完全否定了這種思想，通過對重華的陳詞和借靈氛、巫咸的勸勉，反覆申述其"雖體解吾猶未變"、"孰非義而可用兮，孰非善而可服"、"阽余身而危死兮，覽余初其猶未悔"的思想，一再表示其師法先賢、忠君爲國、堅不從俗的志氣和決心。因此，"悔相道"八句雖爲詩人的眞實念頭，但方生即滅，表現的恰恰是他的憤世嫉俗之情，並從另一側面襯托出詩人純潔的品格和堅貞不渝的志向。我們理解這八句之時，應把握詩人總的思想傾向，從積極的角度去透視，才能悟其眞諦。

　　3 製：裁剪。　芰荷：荷葉；芰，音計 jì。　芙蓉：荷花。集：綴緝。　裳：裙。　芰荷、芙蓉出污泥而不染，芰荷爲衣，芙蓉爲裳，比喻品行清淨潔白。　不吾知：不理解我。　已：罷了。　苟：只要。　信：眞正。

　　"製芰荷"四句乃是闡述"脩吾初服"的涵義，說：裁剪芰荷作上衣，綴緝芙蓉當下裳。無人理解我也罷，只要我的情操確實純正芳潔。

　　4 高：使……高。　岌岌：高聳貌。　長：音腸 cháng，使……長。　佩：佩劍。　陸離：長貌。王逸注："言己懷德不用，復高我之冠，長我之佩，尊其威儀，整其服飾，以異於衆也。"昭質：清白的質地。

　　"高余冠"四句說：讓我高高的冠冕更高，使我長長的佩劍更長。芳香與污臭雜糅在一塊，可喜我清白的質地猶未損傷。

　　5 忽：形容悠然不在意。　反顧：回頭看。　遊目：縱目四望。　四荒：猶言四方。《爾雅·釋地》："觚竹、北戶、西王

128

母、日下，謂之四荒。"注："觚竹在北，北戶在南，西王母在西，日下在東，皆四方昏荒之國。" 繽紛：絢麗多彩。 繁飾：盛加修飾。 芳菲菲：香氣氤氳。 彌：更。 章：同"彰"，昭顯。

"忽反顧"四句說：悠然回頭放眼四望，我將去周遊瀏覽四方。佩飾絢麗打扮得格外華美，香氣氤氳更加馥鬱芬芳。

6民：人。 生：同"性"。 好：音浩 hào。 脩：善美。 常：綱紀、準則。 體解：肢解。 懲：威脅。王逸注："言各有所樂，或樂諂佞，或樂貪淫，我獨好脩正直以爲常行也；雖獲罪肢解，志猶不艾也。"

"民生"四句說：人的性質不同各有所好，我獨喜愛善美並奉爲人生的準則。縱被肢解我也不改變情志，難道我的心怕威脅麼？

以上二十四句是第六段。寫遭逢亂世理想不得實現，但決心在不得志的窮困之中，保持美質不變。

女嬃之嬋媛兮，申申其詈予。曰："鮌婞直以亡身兮，終然殀乎羽之野。[1]汝何博謇而好脩兮，紛獨有此姱節？薋菉葹以盈室兮，判獨離而不服。[2]眾不可戶說兮，孰云察余之中情？世並舉而好朋兮，夫何煢獨而不予聽？"[3]

【注釋】

1 女嬃：據王逸《章句》，指屈原的姐姐。《說文》："嬃，女字也。《楚辭》曰：'女嬃之嬋媛。'賈侍中說：'楚人謂姊爲嬃。'"嬃，音須 xū。 嬋媛：音灘選 tān xuǎn，同"嘽咺"，喘息哭泣貌。 申申：重複。申，重。 詈：音立 lì，罵，文中是責備教訓之意。 予：我。 曰：自"鮌婞直"至"不予聽"是女嬃教訓屈原的話，故用一"曰"字。 婞直：剛直。

亡身：譚介甫先生認爲"亡身"當爲"方命"，甚確。《文選·離騷》"亡身"作"方身"。譚介甫《屈賦新編》說："亡作方，疑'方'本作'匚'，與亡形近而誤。《羣經音辯》匚部：'匚，放也，甫妄切。《書》：匚命圮族。'按今《堯典》作'方命圮族'。身，似當假爲命，同屬'眞'部通用。《盤庚》上'汝悔身何及'，漢《石經》身作命，可證。"方命，違抗上命。　終然：終於。　殀：音夭 yāo，死。王逸注："女嬃比屈原於鯀，不順君意，亦將遇害也。"

"女嬃"四句說：女嬃悲哀嗳泣，反覆敎訓我，說："鯀剛直不阿，違抗上命，終於死在羽山之野。"

2博謇：行爲有節度合乎規矩。　紛：多貌。　姱節：美好的德操。　薋：音瓷 cí，蒺藜。　菉：音路 lù，卽淡竹葉。　葹：音施 shī，卽蒼耳。薋菉葹都是惡草，喩羣奸。　判：劃然分明。　獨：卓然獨立。　離：分。　"薋菉葹"、"判獨離"是楚辭特有的三字修飾語。這種修飾語造句齊整，聲韻諧和而有力，是屈賦修詞藝術的一大成就。凡三字修飾語一般都是近義或同義詞。

服：用，佩帶。

"汝何"四句：你爲何循規蹈矩喜好修美，唯獨你保持恁多的美德？薋菉葹積室盈棟，你却卓立遠離而不肯佩帶。

3衆：泛指一般人。　戶說：猶言家喩戶曉。　孰：誰。云：句中語助詞，無義。　余：我們，這是老姊的口吻。　並舉：全都。　朋：結夥。　榮獨：孤獨。

"衆不可"四句說：不可能挨家挨戶去說明，使人人都瞭解你，誰體察我們的眞情呢？世人都結黨營私，你爲何不聽我的話照舊這麼孤獨呢？

以上十二句是第七段。寫老姊爲屈原擔心，並勸他明哲保身。

依前聖以節中兮，喟憑心而歷茲。濟沅湘以南征兮，就重華而陳詞：[1]"啓九辯與九歌兮，夏

130

康娛以自縱。不顧難以圖後兮，五子用乎家巷。[2]
羿淫遊以佚畋兮，又好射夫封狐。固亂流其鮮終
兮，浞又貪夫厥家。[3]澆身被服强圉兮，縱欲而不
忍。日康娛而自忘兮，厥首用夫顛隕。[4]夏桀之常
違兮，乃遂焉而逢殃。后辛之菹醢兮，殷宗用而
不長。[5]湯禹儼而祇敬兮，周論道而莫差。舉賢而
授能兮，循繩墨而不頗。[6]皇天無私阿兮，覽民德
焉錯輔。夫維聖哲以茂行兮，苟得用此下土。[7]瞻
前而顧後兮，相觀民之計極。夫孰非義而可用兮，
孰非善而可服。[8]阽余身而危死兮，覽余初其猶未
悔。不量鑿而正枘兮，固前脩以菹醢。"[9]曾歔欷
余鬱邑兮，哀朕時之不當！攬茹蕙以掩涕兮，霑
余襟之浪浪。[10]

【注釋】

　　1 依：依照。　前聖：前代聖賢，如堯、舜、禹、湯等。
節：節制，文中是指導之意。　中：思想內心。　喟：音潰 kuì，
感嘆貌。　憑：滿，指積滿怨憤不平之情。　歷：經歷。　茲：
同"此"，指詩人的不幸遭遇。　濟：渡。　南征：向南進發，
指到舜的葬地九嶷山。《史記·五帝本紀》："（舜）南巡狩，崩
於蒼梧之野，葬於江南九嶷。"《山海經·海內南經》："蒼梧
之山，帝舜葬於陽。"注："即九嶷山也。"蒼梧、九嶷在今湖
南南部藍山縣一帶。　重華：即舜。

　　屈原以先賢作楷模，却處處碰壁，方正端直，却際遇悽慘，
甚至老姊也勸其明哲保身，難道天下沒有公理了麼？他懷積怨憤

不得伸展，於是往就重華陳辭，請先賢的神靈評斷是非，以求得真理。

"依前聖"四句說：我以先聖的準則指導自己的思想言行，却經受如此的遭遇，我滿懷積怨喟然慨嘆，渡過沅水湘江而南行，往就舜的英靈陳訴衷情。

2 啓：傳說是禹的兒子，夏代的開國君主。 九辯、九歌：天府音樂名，據說啓以三位美女換得這兩種樂曲供己享樂。《山海經·大荒西經》："（啓）上三嬪於天，得九辯與九歌以下。"注："嬪，婦也，言獻美人於天帝。（九辯、九歌）皆天帝樂名也。"

夏：大。《詩·秦風·權輿》："於我乎夏屋渠渠。"傳："夏，大也。"文中是過分之意。 康娛：享樂。 縱：放縱於情慾。

難：音 nàn，災難。 圖後：考慮後果。 五子：即啓的小兒子武觀。武觀曾趁啓荒淫享樂的機會興兵作亂。《竹書紀年》："（帝啓）十一年，放王季子武觀於西河；十五年，武觀以西河叛。彭伯壽帥師征西河，武觀來歸。" 用乎：於是乎。 家巷：內閧。巷，音訌 hòng，即"閧"字，同"鬨"。"五子"句本作"五子用失乎家巷"，據清代學者王念孫考證校改。

"啓九辯"四句說：啓得到《九辯》、《九歌》，便放縱自恣沉湎於享樂。不顧隱患不計後果，武觀於是乘機作亂釀成內訌。

"啓九辯與九歌"以下至"固前脩以菹醢"，均為屈原對舜的陳辭。

3 羿：相傳為夏代有窮國的君主，善長射箭。《太平御覽》八二引《帝王世紀》："羿，有窮氏，未聞其姓。其先帝嚳，以世掌射故，於是加賜以弓矢，封之於鉏，為帝司射，歷唐（堯）及虞夏。至羿學射於吉甫，其辭佐長，故亦以善射聞。與吳賀北遊，使羿射雀左目，羿引弓射之，誤中右目（原文作'左'，應為右之誤），羿俯首而愧，終身不忘。故羿善射至今稱之。及有夏之衰，羿自鉏遷於窮石，因夏民之不附以代夏政，逼篡帝位。故號有窮氏。" 淫：過度。 佚：放縱。 畋：音田 tián，打獵。 封：大。 固：本來。 亂流：淫亂之輩。 鮮：少。 終好結局。　浞：音卓 zhuó，即寒浞，羿相，相傳寒浞趁羿淫遊畋獵之機，指使家臣逄（音旁 páng）蒙射死羿而自立爲君，並霸佔了羿的妻室。《史記·夏本紀》正義引《帝王世紀》：“羿恃其善射，不修民事，淫於田獸，棄其良臣武羅、伯姻、熊髠、龍圉而信寒浞。寒浞，伯明氏之讒子，伯明後以讒棄之，而羿以爲己相。寒浞殺羿於桃梧，而烹之以食其子。其子不忍食之，死於窮門。浞遂代夏，立爲帝。寒浞襲有窮之號，因羿之室（妻室），生奡及豷。”　夫：句中語助詞，無義。　厥：其。　家：妻室。

　　“羿淫遊”四句說：羿耽於遊獵，又喜好射大狐，此類淫亂之徒本少有好結局，何況寒浞又貪戀他的家室，以至於造成國破身亡的嚴重後果。

　　4 奡：音傲 ào，同“奡”，寒浞之子。《史記·夏本紀》正義引《帝王世紀》：“奡多力，能陸地行舟。（羿）使奡帥師滅斟灌、斟尋，殺夏帝相，封奡於過，……。初，奡之殺帝相也，（帝相）妃有仍氏女曰后緡，歸有仍，生少康。初，夏之遺臣曰靡，事羿。羿死，逃於有鬲氏，收斟（灌）、（斟）尋二國餘燼，殺寒浞，立少康，滅奡於過，后杼滅豷於戈，有窮遂亡也。”　被：披。　强圉：堅固的甲胄。被服强圉，形容奡勇武。　欲：同“慾”。　忍：克制。　用夫：因此。　顚隕：墜落。

　　“奡身”四句說：奡仗恃力大勇猛，恣情縱慾毫無克制。日日享樂忘乎所以，因而掉了腦袋。

　　5 常：久。　違：逆，指胡作非爲。　遂焉：終於。　后辛：指商紂王，紂名辛。后，君主。　葅醢：文中謂酷刑。據《史記·殷本紀》，紂王“醢九侯”、“脯鄂侯”，剖比干之心。桀紂因淫亂無道而亡國，古人常以之爲誡訓。《左傳》昭公二十六年引逸《詩》：“我無所監，夏后及商。用亂之故，民卒流亡。”夏后，指桀；商，指紂王。　宗：宗祀，猶言國祚。　用而：因而。

　　“夏桀”四句說：夏桀長期違天悖理，終於遭逢災殃。紂王濫施酷刑殺戮無辜，商殷的宗祀因而不長。

6儼：莊重嚴肅，相對於啓、羿、澆、桀、紂的"康娛"、
"縱欲"而言。　祗：音支 zhī，恭謹。祗敬，指恪守先祖訓示。

周：縝密。　論：講究。　差：差池。　繩墨：法度原則。
頗：偏。

"湯禹"四句說：商湯夏禹嚴格遵循祖先的規矩，謹密地
講究道義而無過錯。他們選拔賢才委政於能者，遵循一定的準繩
不偏不頗。

7私阿：偏私袒護。　民：人，謂君主。　焉：乃、才。
錯輔：給予幫助。錯，同"措"。　維：同"唯"。　聖哲：聰
明睿智。　茂行：美行。茂，傑出之意。　用此下土：統治天下。
下土，與上文"皇天"相對，指人世間。王逸注："言天下之所
立者，獨有聖明之智、盛德之行，故得用事天下而爲萬民之主。"
洪興祖補注："聖哲之人以有甚盛之行，故能使下土爲我用。《詩》
曰：'奄有下土。'"

"皇天"四句說：皇天不偏不黨，視人的德行而定是否予以
輔助。唯有睿智賢達的人，才能夠君臨天下。

屈原在此向楚國的當權派提出警告：繼續倒行逆施，必將造
成亡國的後果。

8瞻：視。　前、後：指時代先後不同的君王，即上文的湯、
禹、啓、羿、澆、桀、辛等人。　相：仔細察看。　民：文中謂
人生。　計極：最高的道理，指"夫維聖哲以茂行兮，苟得用此
下土"這一眞理。　用：採用，施行。　服：用。

"瞻前"四句說：瞻顧古往今來的史實，細察人生所應遵行
的至理，不義之舉哪能去做，不善之行怎會走得通？

9阽：音店 diàn，臨近險境。《說文》："阽，壁危也。"　危
死：近死。　鑿：即卯眼，筍頭所插入的卯眼（孔洞）。　正：
甲骨文作"𠙴"，從口從止，趨向於某目標之意，即古"征"字，
文中作入解。　枘：音瑞 ruì，插入卯眼的那部份榫頭。枘要削
成與卯眼相合的尺碼才能插進去。"不量鑿而正枘"，即《楚辭·

134

九辯》"圜鑿而方枘兮，吾固知其鉏鋙而難入"的意思，喻行事不阿諛君意，唯眞理是從。　前脩：先賢。　以：因。洪興祖補注："夫邪佞在前，而己以正直當之，其君不察，得罪必矣。"

　　"阽余身"四句說：我瀕臨死亡的邊緣，但回顧往昔仍不悔恨。不量度鑿孔的尺寸硬要插枘，這正是前賢受極刑的原因。我步前賢的後塵，何悔恨之有？

　　10曾：同"層"，重複。　歔欷：嗟嘆抽泣聲。　朕時：我所處的時代。　當：音 dāng，合適。王逸注："自哀生不當舉賢之時，而值菹醢之世也。"　攬：採。　茹：柔軟。　浪浪：淚水湧流貌。

　　"曾歔欷"四句說：我心情憂鬱一次次地感嘆抽泣，哀傷我生不逢時。採摘柔軟的蕙草揩拭眼淚，但淚水依舊清清而下濡濕了衣襟。

　　以上四十句是第八段。寫往南去向重華尋求眞理，以及對重華陳詞的內容。

　　自"悔相道之不察"至"霑余襟之浪浪"，是本文的第二部份。首寫在政治上遭受嚴重挫敗之後，仍堅持自己的思想，堅守昔日的情志。次寫女嬃出於愛護的善意，勸詩人放棄剛直的處世態度，苟合取容明哲保身。女嬃的勸告與詩人的思想是矛盾的。作明哲保身之計呢，抑或堅持走昔日選定的道路？爲了解決這個問題，詩人南下九嶷，往依重華，尋求答案。最後，用向重華陳詞的形式，通過對得道者昌、失道者亡的歷史事件的回顧，得出"孰非義而可用"、"孰非善而可服"的結論，批判了明哲保身的觀點，證明自己的思想行爲和選擇的道路完全正確。

　　文中也間或鞭撻了楚國當權派的醜惡行徑。

　　　跪敷衽以陳辭兮，耿吾既得此中正。駟玉虬以椉鷖兮，溘埃風余上征。[1]朝發軔於蒼梧兮，夕余至乎縣圃。欲少留此靈瑣兮，日忽忽其將暮。[2]

吾令羲和弭節兮，望崦嵫而勿迫。路曼曼其脩遠兮，吾將上下而求索。³飲余馬於咸池兮，揔余轡乎扶桑。折若木以拂日兮，聊逍遙以相羊。⁴前望舒使先驅兮，後飛廉使奔屬。鸞皇為余先戒兮，雷師告余以未具。⁵吾令鳳鳥飛騰兮，繼之以日夜。飄風屯其相離兮，帥雲霓而來御。⁶紛總總其離合兮，斑陸離其上下。⁷吾令帝閽開關兮，倚閶闔而望予。時曖曖其將罷兮，結幽蘭而延佇。⁸世溷濁而不分兮，好蔽美而嫉妒。⁹朝吾將濟於白水兮，登閬風而緤馬。忽反顧以流涕兮，哀高丘之無女。¹⁰

【注釋】

1 敷衽：鋪展開衣襟。 辭：言詞。 耿：明亮貌。 既：既經。 中正：端正，指正確的道理。 駟：一車駕四馬，文中指用四條玉虬駕車。 桀：同“乘”。 鷖：音義 yì，鳳凰的別稱，文中指形似鳳凰的車子。 溘：飄搖貌。 埃風：猶言長風；因風中有微細的塵埃，故稱埃風。王夫之《楚辭通釋》：“埃，當作竢。傳寫之譌。”按：竢乃“颸”之借字，颸風即疾風。如是解也通。 上征：謂向天帝的宮庭進發。

“跪敷衽”四句說：跪下展開衣襟向重華的神靈陳辭，我豁然明朗，懂得了“孰非義而可用”、“孰非善而可服”的道理。於是我駕玉虬坐鷖車，乘飄疾的長風上征天宮。

屈原在人間受盡打擊誣害，壯志不展，冤屈難申，而“舉世皆濁我獨清”，在這漆黑的社會中，欲堅持自己崇高的理想，出路何在呢？唯有轉向天宮去尋覓知己，追求理想的實現了。上征天宮則是以浪漫色彩的幻想境界，反映人間的現實生活。實際上，

136

天庭不外是楚王朝的化身。屈原心中念念不忘的，仍是期待楚國君臣由“濁”轉變爲“清”，使國家強盛起來。

2 軔：音紉 rèn，橫在車輪前使車穩當不動的墊木。行車時必先撤掉軔木，故起程稱發軔。詩人在九疑對舜陳詞完畢便動身“上征”，所以說“發軔於蒼梧”。　縣圃：神話傳說中的仙苑。縣，音懸 xuán。《穆天子傳》二：“春山之澤，清水出泉，溫和無風，飛鳥百獸之所飲食，先王所謂縣圃。”或稱玄圃。玄縣同音異字。據《水經注》，崑崙山分三級，下級叫樊間，中級叫縣圃，又名閬（音郎 láng）風，上級叫層城，又名天庭。　留：逗留。　靈瑣：指縣圃的宮門，因是神苑之門故稱靈瑣。瑣，門上雕鏤的紋飾。　忽忽：疾行貌。

“朝發軔”四句說：早晨自蒼梧動程，黃昏我便到達縣圃。我欲在苑門前稍稍逗留，但匆匆而行的太陽已經偏西。

3 羲和：古代神話中的太陽神。　弭：音米 mǐ，止。　節：鞭子。弭節，放下趕車的鞭子，即停車不行之意。　崦嵫：神話傳說中的山名。王逸注：“日所入山也。下有蒙水，水中有虞淵。”崦嵫山上或有神。《山海經·大荒西經》：“西海陼（渚）中有神，人面鳥身，珥兩青蛇，踐兩赤蛇，名曰弇茲。”弇茲與“崦嵫”同音。按王逸說，崦嵫山在蒙水中；依《山海經》說，弇茲神在西海的島上。總之，太陽是落入崦嵫的水中。古人認爲太陽自東海中昇起，於是便產生了落入西海或蒙水之類的傳說。　勿迫：指勿迫近崦嵫山，即天不要快黑、留下光明之意。　曼曼：同“漫漫”。　脩遠：長遠。　求索：指尋找天宮，實謂探索未來的道路。

“吾令”四句說：我命令羲和停下日車，遙望崦嵫而勿迫近。前途漫長而遼遠，我將借落日的餘暉上下四方尋覓求索。

4 馬：即上文的玉虬，因以玉虬代馬駕車，故稱馬。　咸池：日沐浴處。《淮南子·天文》：“日出於暘谷，浴於咸池，拂於扶桑，是謂晨明。”　捴：同“總”，拴。　轡：馬繮繩。　扶桑：見《東君》注。　若木：若木在西極，扶桑在東方。折西極之若木以拂東方的扶桑，於理似不通。疑此若木即指扶桑木而言。《淮南子·地形》說若木之端有十日，《山海經·海外東經》說扶桑上"九日居下枝，一日居上枝"，也是十日，似可證明若木即扶桑木。若如此，則屈原總轡扶桑，折若木以拂日，就合乎邏輯了。參見《悲回風》"若木"注。　相羊：徜徉。

"飲余馬"四句說：在咸池飲好玉虬，將我馬的轡繩拴於扶桑樹上。折一枝若木拂拭太陽，使之更光彩明亮，我姑且逍遙以徜徉。

前言迫近西方崦嵫，此言飲馬於東方咸池，又回到日出的地方，當是遠征的次日清晨了。

5 望舒：月神的車夫。洪興祖補注："《淮南子》曰：月御曰望舒，亦曰纖阿。"　先驅：在前面馳驅。　飛廉：風神。洪興祖補注引晉灼曰："飛廉，鹿身，頭如雀有角，而蛇尾豹文。"　奔屬：跟隨着奔跑，文中指做後衞。屬，音注 zhù，連接，文中是緊跟之意。　鸞皇：鸞鳥鳳凰。　先戒：在前頭警戒。　雷師：雷神，即豐隆。　未具：指望舒、飛廉、鸞皇尚未到齊，隱含遠征不順利之意。具，全、備。

"前望舒"四句說：使望舒在前面開路，讓飛廉在後隨從護衞，鸞鳳充任先頭警戒，但雷神告訴我：他們尚未到齊。

6 鳳鳥：指鳳形的座車。　飛騰：謂飛速前進。　飄風：《爾雅·釋天》："迴風爲飄。"注："旋風也。"　屯：聚集。　離：音立 lì，同"麗"，附麗，聚合。　霓：虹霓。舊說彩虹分雌雄二種，雄叫虹，雌稱霓。　御：用，文中是協助之意，謂飄風與雲霓幫助推動車駕前進。或謂"御"音亞 yà，迎迓之意。

"吾令"四句說：我下令鳳車騰空飛翔，日夜不停地向天宮進發。飄風都聚攏起來，率領彩雲虹霓來輔助我。

夜以繼日地求索，反映出屈原追求實現理想的急切心情。

7 紛：紛亂貌。　總總：同"總總"，前後呼擁貌。　離合：分合無定。　斑：斑斕。　陸離：光彩絢麗。

"紛總總"兩句說：望舒、飛廉、鸞皇、風雲彩虹紛紜變幻，乍離乍合，上下錯落絢爛輝煌，簇擁着車駕在高空飛翔，場面十分壯觀。

8 帝閽：帝庭的守門人。王逸注："帝，謂天帝。閽，主門者也。"閽，音昏 hūn。 關：門閂。 閶闔：音昌合 chāng hé，謂天宮之門。《說文》："閶，天門也。楚人名門曰閶闔。"《淮南子·原道》"排閶闔，淪天門"注："閶闔，始升天之門也。天門，上帝所居紫微宮門也。" 予：我，屈原自謂。 曖曖：日光不明貌。曖，音愛 ài。 罷：終，謂白晝將盡。 結幽蘭：猶言拿着一束幽蘭，喻己一如既往，品德如蘭。結，紮。 延佇：遷延佇立，隱含期待楚國君臣有所悔悟轉變的深意。

"吾令帝閽"四句說：我令帝宮的門衞打開宮門，他倚着門扇冷冷地望着我。日光漸暗天色向晚，我手持幽香的蘭花佇立於門外等待。

9 溷：同"混"。王逸注："言時世君亂臣貪，不別善惡，好蔽美德而嫉妒忠信也。"

"世溷濁"兩句說：世事混濁是非不分，人們喜好斥賢妒能。不料天宮亦是如此。

10 朝：音召 zhāo。 濟：渡河。 白水：傳說中的發源於崑崙山的神水名。 緤：音泄 xiè，同"紲"，拴牲畜的繩子，文中是縛的意思。 反顧：指從閬風回首下望。 高丘：楚山名，即巫山。《文選·宋玉·高唐賦》："妾在巫山之陽，高丘之阻。"可證高丘即巫山，異名而已。 女：巫山神女。神女是天帝的小女兒，名瑤姬，她常御風往來於天宮與巫山之間。《水經注·江水》引《山海經》郭璞注云："丹山在丹陽，屬巴丹山，西即巫山者也。又帝女居焉，宋玉所謂天帝之季女，名曰瑤姬，未行而亡，封於巫山之陽。精魂爲草，實爲靈芝，所謂巫山之女，高唐之阻，且爲行雲，暮爲行雨，朝朝暮暮，陽臺之下。"

"朝吾"四句說：我將在清晨渡過白水，登臨閬風而縛繫御馬。我忽然回首下望，不禁愴然流淚，哀嘆高丘上沒有瑤姬。

以上三十六句是第九段。描述在天宮前受冷遇，追求帝女未見。

溘吾遊此春宮兮，折瓊枝以繼佩。及榮華之
未落兮，相下女之可詒。[1]吾令豐隆乘雲兮，求宓
妃之所在。解佩纕以結言兮，吾令蹇脩以為理。[2]
紛緫緫其離合兮，忽緯繣其難遷。夕歸次於窮石
兮，朝濯髮乎洧盤。[3]保厥美以驕傲兮，日康娛以
淫遊。雖信美而無禮兮，來違棄而改求。[4]覽相觀
於四極兮，周流乎天余乃下。望瑤臺之偃蹇兮，
見有娀之佚女。[5]吾令鴆為媒兮，鴆告余以不好。
雄鳩之鳴逝兮，余猶惡其佻巧。[6]心猶豫而狐疑兮，
欲自適而不可。鳳凰既受詒兮，恐高辛之先我。[7]
欲遠集而無所止兮，聊浮遊以逍遙。及少康之未
家兮，留有虞之二姚。[8]理弱而媒拙兮，恐導言之
不固。世溷濁而嫉賢兮，好蔽美而稱惡。[9]閨中既
以邃遠兮，哲王又不寤。懷朕情而不發兮，余焉
能忍與此終古。[10]

【注釋】
  1 溘：飄忽貌。 春宮：青帝的宮室。青帝是春神，為古人
所崇祀。《史記·封禪書》：“秦宣公作密畤於渭南，祭青帝。”
因其宮為春神所居，故稱春宮，在東方，尚青色。《太平御覽》一
七三引《神異經》：“東方有宮，青石為牆，高三仞，左右闕高
百丈，畫以五色，門有銀牓，以青石碧鏤，題曰：天地長男之

140

宫。"按：此爲傳說中的春宫之一說。　瓊枝：美玉似的花枝。瓊，赤玉。　繼：續，引申爲頂替之意。　佩：裝飾品。古代有以佩飾作爲愛情信物的習俗。　榮華：指瓊枝的花。榮，花。相：物色。　下女：謂春宫中的侍女。　詒：同"貽"，餽贈。戴震《屈原賦注》："所折瓊枝，當及其榮華未落，以貽下女，使通己之志於淑女也。"

"溘吾"四句說：我飄然而來春宫遊歷，折一美麗的瓊枝當作佩飾，趁花朵未落的時候，物色賢淑的侍女餽贈之。

2 宓妃：相傳是伏羲氏的女兒。《文選·洛神賦》注："如淳曰：宓妃，宓羲氏之女，溺死洛水，爲神。"宓，音伏 fú，同"伏"。　佩纕：佩飾。　結言：猶言傳情。　蹇脩：《爾雅·釋樂》："徒鼓鐘謂之修，徒鼓磬謂之蹇（蹇）。"文中謂以樂隊爲媒妁。　理：媒理。

"吾令"四句說：我下令豐隆乘上彩雲，去尋求宓妃所在的地方。解下佩飾作定情的信物，我使蹇脩充任媒理，鼓吹悠揚地去說親。

3 紛總總：紛亂貌。　離合：忽離忽合，不固定。"紛總總"句形容宓妃的態度恍惚難以捉摸。　忽：變幻不定，指宓妃的心意。　緯䌸：音偉畫 wěi huà，傲慢自恃。　遷：遷就、接近。次：住宿。　窮石：古地名，后羿所居之地。《左傳》襄公四年："后羿自鉏遷於窮石，因夏民以代夏政。"《淮南子·地形》："弱水出自窮石。"注："窮石，山名也。在張掖北。"張掖，在今甘肅省。據《天問》"帝降夷羿，革孽夏民。胡射夫河伯，而妻彼雒嬪"，知羿與雒嬪有淫行。雒嬪即宓妃。"歸次窮石"，當即影射此事，故下文說宓妃"雖信美而無禮"。　朝：音召 zhāo。　濯：音卓 zhuó，洗。　洧盤：王逸注："洧盤，水名。禹大傳曰：洧盤之水出崦嵫之山。言宓妃體好清潔，暮即歸舍窮石之室，朝沐洧盤之水。"洧，音偉 wěi。濯髮洧盤，謂宓妃愛美容。

"紛總總"四句說：宓妃態度恍惚多變無從捉摸，心意不定

141

傲慢自恃難以接近。她晚間回到窮石歇宿，早晨去洧盤梳洗頭髮。

4 保：守，引申爲仗恃之意。　驕傲：王逸注：“倨簡曰驕，侮慢曰傲。”　淫遊：沉溺於遊樂。　信：眞正。　來：歸來，召喚之詞。　違棄：放棄。

“保厥美”四句，是屈原對蹇脩的指示，說：宓妃恃其姿容艷麗而驕縱傲慢，日日沉湎於遊樂之中。雖則貌美然而無禮儀，回來吧，放棄她改求別人。

詩人對求愛對象道德品質的嚴格要求，反映他在現實政治鬥爭中堅持原則的嚴肅態度。

5 覽相觀：三字均作“望”解，重疊以加重語氣，表示認眞仔細看之意。　四極：四方。《爾雅·釋地》：“東至於泰遠，西至於邠國，南至於濮鈆，北至於祝栗，謂之四極。”注：“皆四方極遠之國。”　周流：猶言周遊、轉了一圈兒。上面所求的帝女、侍女、宓妃都是神女，以下轉求人間凡女；由神界下到人間，所以說“周流乎天余乃下”。　瑤臺：美玉砌的臺榭。　偃蹇：高聳貌。　有娀：古代汾水流域的部族。傳說有娀氏有美女二人，養在九層高的瑤臺之中，其一名簡狄。《史記·殷本紀》“有娀氏之女”正義：“‘桀敗於有娀之墟’，有娀當在蒲州。”按：蒲州在今山西永濟縣。《淮南子·地形》：“（有娀）長女簡翟（狄），少女建疵。”注：“有娀，國名也。姊妹二人在瑤臺也。”《呂氏春秋·音初》：“有娀氏有二佚女，爲之九成（重）之臺，飲食必以鼓。”娀，音松 sōng。　佚：美。

“覽相觀”四句說：仔細觀察四極八方全無意中人，在天上周遊一遍於是降到人間。忽然望見高聳的瑤臺，看到有娀的美女簡狄。

6 鴆：音枕 zhěn，傳說中的一種毒鳥，把鴆的毛羽泡於酒中，可毒殺人。洪興祖補注引《廣志》：“其鳥大如鴞，紫綠色，有毒，食蛇蝮，雄名運日，雌名陰諧，以其毛歷飲巵，則殺人。”　好：漂亮。　鳩：鳥名，貌似山鵲，短尾，色青黑，善鳴。據《詩·召南·鵲巢》“維鵲有巢，維鳩居之”，鳩霸佔鵲的巢窩，則古人大概視鳩爲惡鳥。鴆、鳩在文中均喩奸邪之徒。　逝：往。
　　猶：同"又"。　惡：音務 wù，憎恨。　佻巧：輕浮巧佞。
　　"吾令鴆"四句說：我派鴆鳥去做媒，鴆回稟我有娀之女不
美。喳喳叫的雄鳩願往說親，我又厭惡它輕佻不可靠。
　　7 適：往。　鳳凰：指簡狄豢養的鳳凰。　受詒：接受禮品。
詒，同"貽"。　高辛：即帝嚳，傳說他有四妻，其一爲有娀氏
女簡狄。
　　"心猶豫"四句說：心裏猶豫狐疑，欲親向簡狄求親又覺不
便。聽說鳳鳥已接受帝嚳的聘禮，恐怕高辛氏已在我之先與簡狄
定婚。
　　8 遠集：到遠方去。　所止：謂安身立命之所。　浮遊：遊
蕩。　少康：傳說是夏代的國君，夏后相之子。寒浞使其子澆滅
相，少康逃奔姚姓部族有虞氏，娶有虞二女爲妻，後誅滅寒浞，恢
復了夏的統治。　家：娶妻。　留：指聘定。　二姚：有虞二女，
有虞姚姓，故稱二姚。
　　"欲遠集"四句說：我欲遠行但無容身之地，姑且遊娛而逍
遙。願趁少康未娶二姚之機，我先同這兩位美女定婚吧！
　　9 理弱而媒拙：就己與楚王的關係言。理、媒，指己與頃襄
王之間的聯系人。弱，不得力。拙，愚笨。　導言：勸導之言，即
諫言。　固：牢固，文中是相信之意。　稱惡：說壞話。稱，張
揚。
　　"理弱"四句是結論性的話，說：媒理愚蠢無能，恐怕由其
傳遞的導言不爲君王所相信。世道混濁妒賢嫉能，大家都好隱人
之美揚人之惡。
　　10 閨：室中的小門。《爾雅·釋宮》："宮（室）中之門謂之
闈，其小者謂之閨。"閨中，指朝廷。　邃：音遂 suì，深幽。
哲王：明智的君王，美稱頃襄王。　寤：同"悟"。洪興祖補注：
"閨中既以邃遠者，言不通羣下之情；哲王又不寤者，言不知忠
臣之分。"　情：指欲實現政治抱負而激發的情緒，以及心中的
怨憤之情，憂國傷時之情，等等。　與此：如此。　終古：長久，

猶言到底。

　　"閨中"四句說: 朝廷深邃幽遠可望不可即, 明智的君王又不覺悟。我懷藏的激情無從抒發, 我怎能像這樣一直忍耐下去呢?

　　以上四十句是第十段。寫詩人苦心追求宓妃等六位女性, 均告失敗。

　　自"跪敷衽以陳辭"至"余焉能忍與此終古", 乃本篇的第三部份, 緊接第二部份展開。

　　詩人經對重華陳辭, 明白了"義可用"、"善可服"這個眞理, 並證實自己昔日所走的道路正確, 堅持的理想正確。但是, 得到古聖重華讚許的道路, 爲什麼在楚國障礙壁立, 竟然飛鳥難越呢? 詩人懂得, 因爲他生當桀紂之時, 而未逢堯舜之世。所以, 儘管他手中握着眞理, 儘管他香氣菲菲而姿容秀美, 仍不免被貶入冷宮, 再也不得翻身。有誰理會"義可用"而"善可服"的道理呢? 現實像刀劍一般的嚴酷。詩人的心情痛苦而又憤激: "曾歔欷余鬱邑兮, 哀朕時之不當! "可是, 胸懷遠大志向的詩人, 怎能夠懷情不發而"忍與此終古"! 於是, "溘埃風余上征", 開始了探索未來的長征, "路曼曼其脩遠兮, 吾將上下而求索", 想從天上找到希望之鄉, 覓個安身立命之所。這雖然是太虛幻境, 然而, 其中寄託着多少人生的感慨和滄桑的變幻啊!

　　最後, 詩人用"閨中旣以邃遠兮, 哲王又不悟。懷朕情而不發兮, 余焉能忍與此終古"四句收網點題之筆作結。這四句, 是詩人面對陰暗現實而發出的絕望痛苦的心聲, 聲聲都飽含着血和淚。詩人明確地告訴讀者: 他處於走投無路的無可奈何的境地之中。

　　這一部份乍讀起來, 給人以影影綽綽、撲朔迷離的感覺, 彷彿莫明其旨, 來去突兀, 不易理解。但只要我們把握住詩人總的思想, 其實並不難理解。回顧詩人不幸的政治遭遇, 抒發對羣小的憤恨和心中的幽怨, 期待楚君覺醒, 並依靠他實現其政治理想, 仍是貫穿本部份的主綫。只要抓住這條綫, 便可撥開迷霧, 一覽廬山眞面目了。

文中對女性的追求，如何理解？總括說來，對女性的追求，暗喻對其政治理想的追求；追求女性的失敗，意味着理想的幻滅。詩人風塵僕僕地往來奔波，求一女不成，再求一女，竟至連求六女，形象地反映了他爲實現其理想而努力奮鬥的曲折經歷和始終不渝的鬥爭精神。

如果我們進一步體會這一部份的情味，便會覺察：其中的若干情節，似乎各有寓意。下面試分述之。

“吾令帝閽開關兮，倚閶闔而望予。”詩人以在天宮所受的冷遇，比喻他被逐出朝廷，遠流他鄉的遭遇。也表明他對楚君仍抱有期望。

登閬風而反顧，哀高丘之無女。這一節寓意尤爲深刻。楚的先祖熊繹，在周成王的時候受封於丹陽，楚從此正式立國。逮至頃襄王時，國祚已近千年。千年之後的楚國，君庸臣奸，凋蔽敗落，滿目瘡痍，岌岌乎殆哉！詩人追溯熊繹立國之始，看今朝國家與自己渺茫的前途，痛苦、憂慮、感嘆、憤慨，緊緊包裹着他的心。熊繹建國的丹陽城，就在今秭歸縣境，距高丘甚近。“忽反顧以流涕兮，哀高丘之無女”一語，形象深刻地概括了詩人內心的這種複雜的感受。

至於美貌淫蕩的宓妃，可能比喻曾受屈原苦心培養，後又變節的“衆芳”。這羣無恥之徒像宓妃一樣，金玉其外敗絮其中。所以詩人不得不“違棄而改求”。這當中包涵着詩人“哀衆芳之蕪穢”的痛苦心情。

有娀之佚女簡狄，大概比喻楚王。與高辛氏爭奪簡狄，喻爭奪楚王的信任。鳩和雄鴆影射朝中某些人，他們可能一度與詩人有過“較好”的關係，然而決非志同道合者，詩人對他們是有警惕的。而“蔽”詩人之美，“稱”詩人之惡的，也正是這幫人。“鳩告余以不好”，“雄鴆之鳴逝”，“惡其佻巧”等語，隱隱約約向我們展示了詩人同這些小人鬥爭的情景。

總之，這一部份似神話而非神話，似幻想而非幻想。它是以神話幻想面目出現的政治詩。在一幅幅令人眼花繚亂，旖旎壯麗的神話幻想的圖景中，詩人的政治思想被形象地闡發出來。讀過之後，餘韵回響，玩味無窮。

　　索薆茅以筳篿兮，命靈氛爲余占之。[1]曰：“兩美其必合兮，孰信脩而慕之？思九州之博大兮，豈唯是其有女？”[2]曰：“勉遠逝而無狐疑兮，孰求美而釋女？[3]何所獨無芳草兮，爾何懷乎故宇？世幽昧以眩曜兮，孰云察余之善惡？[4]民好惡其不同兮，惟此黨人其獨異！戶服艾以盈要兮，謂幽蘭其不可佩。[5]覽察草木其猶未得兮，豈珵美之能當？蘇糞壤以充幃兮，謂申椒其不芳！”[6]

【注釋】
　　1索：取。　薆茅：一種多年生的蔓草，又名旋花，古代用作卜筮的靈草。《爾雅·釋草》：“葍，薆茅。”疏：“葍與薆茅，一草也。花白者即名葍，花赤者別名薆茅。”薆，音窮 qióng。筳：音廷 tíng，卜筮用的小竹籤。　篿：音專 zhuān，楚人用靈草和竹籤卜筮稱篿。王逸注：“楚人名結草折竹以卜曰篿。”　靈氛：神巫名。巫是所謂交通人神的中介人，可將人意轉告神，也可把神意傳給人。經占卜而得的兆詞，即代表所謂神意。王逸注：“言己欲去，則無所集；欲止，又不見用。憂悶不知所從，乃取神草竹筳，結而折之，以卜去留，使明智靈氛占其吉凶也。”
　　“索薆茅”兩句說：索取薆茅和卜竹，命靈氛爲我占卜。
　　2兩美：指漂亮的男女，實喻良臣賢君。　孰：誰。　信：真。　脩：美。　慕：思慕。　九州：泛指天下。　是：指楚國。　女：比喻可使屈原施展其抱負的賢君。

146

"曰兩美"四句，是屈原問卜之詞，說：照理說兩位美人必定能結合，但誰是值得我思慕的眞正的美人呢？細思天下恁般廣大，難道唯獨此地才有美女可求嗎？

　　3 曰：這以下是靈氛代表神對屈原貞卜的答詞。　勉：奮勉。遠逝：遠行。　無：勿，不要。　釋：放過。　女：音乳 rǔ，同"汝"，你。

　　"曰勉"兩句說：你當奮勉遠行切勿猶豫不決，哪位求賢的人會放過像你這樣的美材？

　　4 何所：何處。　芳草：喻明君。　故宇：故居，謂郢都。幽昧：幽暗不明。　眩曜：惑亂貌。眩，音眩 xuàn。　云：句中語助詞。　余：我們，這是靈氛站在屈原立場上說話的口吻。善惡：偏義複詞，惡無義。

　　"何所"四句說：天涯何處無芳草，你何必眷戀故都？世事昏暗美惡不分，誰能體察我們善美的品德呢？

　　5 民：人。　惡：音務 wù，憎。　其：同"豈"。　惟：同"唯"。　黨人：羣奸。　戶：戶戶，猶言"個個"。　服：佩帶。　艾：一種蒼白色的草本植物，有臭味，古人視爲惡草。盈：滿。　要：同"腰"。

　　"民好惡"四句說：人的好惡豈有不同，唯獨這幫傢伙特殊！一個個在腰上別滿了臭艾，却說幽蘭不值得佩帶！

　　6 覽察：觀察。　猶：還。　未得：未識。　琤：音呈 chěng，美玉。　美：指瑝的精美之處。　當：音擋 dǎng，同"黨"。《方言》一："黨，知也。楚謂之黨。"王逸注："言時人無能知臧否，觀衆草尙不能別其香臭，豈當知玉之美惡乎？以爲草木易別於禽獸，禽獸易別於珠玉，珠玉易別於忠佞，知人最爲難也！"蘇：取。　糞壤：糞土。　曰：同"以"。　充：塡。　幃：音違 wéi，繫在身上的香囊。

　　"覽察"四句說：這幫人觀察草木還辨認不清，怎能識別美玉的精華呢？他們以糞土塡充香囊，反倒說申椒不芬芳！

　　以上二十句是第十一段。寫屈原卜貞，求神巫的吉示，靈氛

147

指出楚王朝賢愚易位，美惡顛倒，勸他及早遠逝另覓出路。

　　欲從靈氛之吉占兮，心猶豫而狐疑。巫咸將
夕降兮，懷椒糈而要之。[1] 百神翳其備降兮，九疑
繽其並迎。皇剡剡其揚靈兮，告余以吉故。[2] 曰：
"勉陞降以上下兮，求榘矱之所同。湯禹嚴而求
合兮，摯咎繇而能調。[3] 苟中情其好脩兮，又何必
用夫行媒？[4] 説操築於傅巖兮，武丁用而不疑。呂
望之鼓刀兮，遭周文而得舉。甯戚之謳歌兮，齊
桓聞以該輔。[5] 及年歲之未晏兮，時亦其猶未央。
恐鵜鴃之先鳴兮，使夫百草為之不芳。"[6]

【注釋】
　　1 吉占：古代的占卜，是一種假借天意決定人事的迷信活動。
先定下卜問神祇的事項，一般用龜甲或蓍草（楚人也用小竹籤）
進行占卜，以斷定吉凶，吉則行之，凶則避之。靈氛之吉占，指
靈氛勸屈原遠逝的兆詞。　懷：懷抱，文中是準備的意思。　椒：
香料。　糈：音許 xǔ，祭神的精米。　要：同"邀"。
　　"欲從"四句説：欲照靈氛的吉占去做，而心中仍猶豫難決。
聽説巫咸將在黃昏降臨，備辦好香料和精米邀請他予以指點。
　　靈氛認為屈原遠逝吉利，勸他不必狐疑。但屈原憂國懷君，
不忍驟去，故仍"心猶豫而狐疑"。是去，是留？屈原仍無定見。
於是趁"巫咸將夕降"的機會，請巫咸再明神示，以作最後的抉
擇。
　　2 百神：眾神。《詩·周頌·時邁》："懷柔百神。"　翳：音義
yì，遮蔽。　備：全部。　九疑：疑同"嶷"，九疑是楚國的名山。文中
泛指楚地的山神地祇。　繽：繽紛盛大貌。　並：一起。　皇：輝

148

煌。 剡剡：音演 yǎn，光明貌。 揚靈：放射靈光，謂顯示精誠。 吉故：吉利的緣故。百神的意旨是通過巫咸傳達給屈原的。

"百神"四句說：巫咸與百神遮天蔽日地一齊光降，衆山神地祇排開盛大的場面熱烈歡迎。百神輝煌燦爛靈光閃閃，將告訴我靈氛的吉占爲何吉利。

3 曰：自此以下是巫咸傳達的百神的吉示。 勉：激勵。 陞降上下：指遠遊天地四方。 榘矱：文中謂思想主張。榘，畫正方或直角的工具。矱，音獲 huò，量長短的工具。 嚴：嚴肅認眞。 合：吻合，指志同道合的人。 摯：商湯的賢相伊尹之名。 咎繇：相傳是夏禹主掌刑法的大臣。 調：音條 tiáo，和洽。

"曰勉"四句說：你應自勉自勵遠遊四方，尋找志向相合的君主。你看湯禹尋求可意的賢臣嚴肅認眞，摯和咎繇與湯禹共事通融和洽。

4 苟：如果。 中情：內心、思想。 好脩：美好。好，音郝 hǎo，美。 行媒：通聘問的中介人。"苟中情其好脩兮，又何必用夫行媒"，承上文靈氛之兆詞"兩美其必合"而言。

"苟中情"兩句說：如果雙方的心地都很光潔，則會自然結合，又何必用行媒說合呢？

5 說：音悅 yuè，人名，即傅說。據說他本是奴隸，在傅岩披褐帶索，操版築做苦工，被武丁選中。《尚書·說命序》："高宗（武丁）夢得說，使百工營求諸野，得諸傅巖。"《墨子·尚賢中》："傅說被褐帶索，庸築乎傅巖。武丁得之，舉以爲三公，與接天下之政，治天下之民。" 築：版築，古代夯築土牆的工具。 傅巖：古地名，相傳在今山西平陸縣境。 武丁：商代著名的國王，即殷高宗。盤庚弟小乙之子。據說他才幹出衆，重用傅說、甘盤等名臣，對土方、羌方、鬼方等諸侯方國頻繁用兵，使商的勢力超越太行山，擴大到今山西南部地區。商王多妻，已知武丁有六十四位夫人，其中以婦好最著名。她曾多次率軍征伐羌方、土方等方國，戰功卓著。婦好墓已於安陽殷墟出土，其中的禮器及各方國餽送婦好的物品頗多，而且質地華美精良。這從

149

一個側面說明了武丁時商殷國力之強盛。　呂望：見《惜往日》注。　鼓刀：敲擊屠刀，形容屠夫的姿態。　遭：遇。　甯戚：見《惜往日》注。　謳：音歐ōu，歌唱。　該：充當。

　　"說操築"六句是舉"苟中情其好脩"，"何必用夫行媒"的事例，說：傳說操持版築於傅巖做工，而武丁不加猜疑放手使用；呂望本是鼓刀的屠夫，遇周文王而得以擢升；甯戚因歌唱而嶄露頭角，齊桓公聽到便任爲輔助。

　　6 及：趁。　晏：晚。　時：時節。　未央：未盡。　鵜鴃：音提決tí jué，鳥名，即杜鵑，初夏啼鳴最歡，是時百花大都開過了，所以杜鵑啼叫意味着春光已逝。　先鳴：提前鳴叫。　百草：泛指花卉。

　　"及年歲"四句說：趁年紀尚未遲暮，趁時光還不太晚，望你及時努力。只怕杜鵑提前叫喚，使百草失去了芳香。

　　以上二十四句是第十二段。寫百神以"兩美相合"的歷史事件，奉勸屈原趁歲華未落，及早離開楚國另覓賢君，再展宏圖。

　　何瓊佩之偃蹇兮，衆薆然而蔽之。惟此黨人之不諒兮，恐嫉妒而折之。[1]時繽紛其變易兮，又何可以淹留？蘭芷變而不芳兮，荃蕙化而爲茅。[2]何昔日之芳草兮，今直爲此蕭艾也？豈其有他故兮，莫好脩之害也！[3]余以蘭爲可恃兮，羌無實而容長。委厥美以從俗兮，苟得列乎衆芳。[4]椒專佞以慢慆兮，樧又欲充夫佩幃。既干進而務入兮，又何芳之能祗？[5]固時俗之從流兮，又孰能無變化？覽椒蘭其若茲兮，又況揭車與江離！[6]惟茲佩之可貴兮，芳菲菲而難虧。委厥美而歷茲兮，芬至今

猶未沫。⁷和調度以自娛兮，聊浮游而求女。及余飾之方壯兮，周流觀乎上下。⁸

【注釋】

1 瓊佩：華麗的佩飾，屈原自喻。 偃蹇：下垂貌，文中形容瓊佩下垂的樣子，喻己不得志。 薆然：草木茂盛貌，引申爲遮蔽貌。薆，音愛ài。《方言》六：“掩、翳，薆也。”注：“謂蔽薆也。《詩》曰：‘薆而不見。’” 蔽：壅蔽，謂衆奸破壞阻斷了屈原與楚王的良好關係。 惟：思。 諒：誠懇。 折：毀敗。王逸注：“言楚國之人不尚忠信之行，共嫉妒我正直，必欲折挫而敗毀之也。”

“何瓊佩”四句說：我爲何鬱鬱不得志呢？因衆人像茂草一樣遮擋着我。想黨人們太不誠實，恐怕他們出於嫉妒而陷害我。

詩人處境已很潦倒困躓，此言“恐嫉妒而折之”，大約在朝的羣奸不以放逐屈原爲滿足，仍在進行活動，必欲置之死地而後快。屈原可能已察覺政敵的這種陰謀，所以警覺起來，故下文說“又何可以淹留”。

2 繽紛：紛亂貌。 易：變。 淹留：久留。 蘭：喻令尹子蘭。 芷：喻曾支持過屈原的臣僚，具體指何人，已難知曉。荃：喻懷王。 蕙：喻頃襄王。洪興祖補注：“當是時，守死而不變者，楚國一人而已，屈子是也。”

“時繽紛”四句說：時世紛亂一切都在向壞的方向演變，我怎麼能在這樣的環境裏久留？蘭芷失節而芳香消褪，荃蕙也化爲平庸的茅草。

3 直：徑直。 蕭艾：即艾蒿，一種有臭味的植物。王逸注：“言往昔芬芳之草，今皆直爲蕭艾而已，以言往日明智之士，今皆佯愚狂惑不顧。”洪興祖補注：“蕭艾，賤草，以喻不肖。”

“何昔日”四句說：爲何昔日的芳草，如今竟變爲艾蒿？這難道有別的緣故嗎？都是不潔身自愛的害處啊！

4 實: 內在的實質。　容: 外貌。　長: 音章 zhāng，虛浮。
委: 棄。　厥: 其。　苟得: 非分而得，不該佔有而佔有。《禮記‧曲禮上》"臨財毋苟得"疏: "非義而取，謂之苟得。"

"余以蘭"四句說: 我以爲子蘭可以依靠，誰知內無美質徒具其表。委棄其美而從流俗，本來就不配側身於羣芳之中。

5 椒: 司馬子椒，楚王朝的大夫。　專: 專權。　佞: 音濘nìng，以花言巧語諂媚逢迎。　慢慆: 傲慢。慆，音滔tāo。椒充佩幃: 椒，貌似茱萸的惡草，喻子椒。　佩幃: 佩帶的香囊。椒充佩幃，喻子椒鑽營竊權。王逸注: "言子椒爲楚大夫，處蘭芷之位，而行淫慢佞諛之志，又欲援引面從不賢之類，使居親近，無有憂國之心。五臣云: 子椒列大夫位，在君左右，如茱萸之在香囊，妄充佩帶而無芬芳。"　干進務入: 謂爭官奪權、鑽營利祿。干，求。務，努力從事於某種事務。　芳: 喻高行美德。祗: 敬。王逸注: "言子椒苟欲自進求入於君，身得爵祿而已，復何能敬愛賢人而舉用之也。"

"椒專佞"四句說: 子椒專權擅政傲慢自恃，椒這樣的臭草也想填充香囊。這些人既然醉心於爭權奪利，哪一種高尚的德行能博得他們的敬重呢？

6 時俗: 世俗。　從: 隨從。　流: 指行時的風氣。　茲: 此。　揭車、江離: 喻經己栽培後又變節的臣僚。

"固時俗"四句感嘆當時社會政治風氣的敗壞，說: 世俗之人隨風轉舵，有哪個能不發生變化呢？連椒蘭都變成如今這樣，更何況揭車與江離了！

7 惟: 同"唯"。　茲佩: 這個佩飾，屈原自喻。　菲菲: 香氣氤氳貌。　虧: 減損。　委: 棄。　厥: 其，指楚頃襄王。美: 美材，屈原自謂。委厥美，指頃襄王棄逐屈原。　歷: 經歷。茲: 此，指屈原被放逐後的苦難經歷。　沬: 消失。此四句原作"惟茲佩之可貴兮，委厥美而歷茲；芳菲菲而難虧兮，芬至今猶未沬。"現據譚介甫《屈賦新編》的意見校改。

"惟茲佩"四句說: 獨有這件佩飾難能可貴，香氣馥郁長存不褪。君王委棄他的良臣而使之經受如此的苦難，然而芬芳至今猶未消散。

8和：諧和，文中是調整的意思。　調：音掉 diào，謀劃。度：忖度。調度，指思緒。　自娛：自我寬解。　浮游：漂游。女：喻己追求的政治理想。　飾：佩飾，喻年華、才幹。　方：正。　壯：盛，指“飾”華美芬芳。

“和調度”四句說：調理心緒疏導思想而自求寬解，姑且浮游以尋求美女。趁佩飾正當華美的時候，及時去上下四方周遊瀏覽。

以上三十二句是第十三段。乃屈原聽完百神的啓示後的感想：蘭凋椒佞，荃蕙化而爲茅，揭車與江離喪失節操，唯有自己芬芳未虧，楚國已無可留戀之處，決計聽從百神的勸誡和靈氛的吉占，遠適他方，尋找明君和知己者。

　　靈氛既告余以吉占兮，歷吉日乎吾將行。折瓊枝以爲羞兮，精瓊靡以爲粻。[1]爲余駕飛龍兮，雜瑤象以爲車。何離心之可同兮，吾將遠逝以自疏。[2]邅吾道夫崑崙兮，路脩遠以周流。揚雲霓之晻藹兮，鳴玉鸞之啾啾。[3]朝發軔於天津兮，夕余至乎西極。鳳凰翼其承旂兮，高翱翔之翼翼。[4]忽吾行此流沙兮，遵赤水而容與。麾蛟龍使梁津兮，詔西皇使涉予。[5]路脩遠以多艱兮，騰衆車使徑待。路不周以左轉兮，指西海以爲期。[6]屯余車其千乘兮，齊玉軑而並馳。駕八龍之婉婉兮，載雲旗之委蛇。[7]抑志而弭節兮，神高馳之邈邈。奏《九歌》而舞《韶》兮，聊假日以媮樂。[8]陟陞皇之赫戲兮，

153

忽臨睨夫舊鄉。僕夫悲余馬懷兮，蜷局顧而不行。[9]

【注釋】

1 "靈氛"句：洪興祖補注："靈氛告以吉占，百神告以吉故，而此獨曰靈氛者，初疑靈氛之言，復要（邀）巫咸，巫咸與百神無異詞，則靈氛之占吉矣。然原故未嘗去也，設詞以自寬耳。" 歷：卜。
羞：美味的菜餚。 精：舂搗。 瓊靡：玉屑。靡，同"糜"，碎末兒。 粻：音章 zhāng，糧。《禮記‧王制》："五十異粻。"疏："粻，糧也。"以玉為食，形容心潔志純。

"靈氛"四句說：靈氛既把吉占告訴我，於是卜選了吉日我將啓程。折瓊枝當作珍羞，舂碎玉作為口糧。

2 雜：不同質的東西合在一起。 瑤：美玉。 象：象牙。駕飛龍雜瑤象，形容儀容高貴。 離心：異心。 自疏：自求疏遠，謂遠離楚王朝。"遠逝以自疏"，乃抒發憤懣的牢騷話，兼有消除憂思自求歡娛之意。

"為余"四句說：為我駕上飛龍，兼用瓊瑤象牙作車飾。離心離德怎麼可以共事？我將遠行以求同他們疏遠。

3 邅：轉。 昆侖：即崑崙山。 周流：指路迂回曲折。 雲霓：謂畫有雲、霓的旌旗。 晻藹：旌旗蔽日貌。晻，音掩 yǎn。
玉鸞：玉製的鸞鳥形車鈴。《荀子‧正論》："和鸞之聲。"注："和鸞皆車上鈴也。《韓詩外傳》云：'鸞在衡，……馬動則鸞鳴。'" 啾啾：鳥鳴聲，文中形容鈴聲。

"邅吾道"四句說：我轉道朝崑崙馳去，道路遼遠而迂曲。旌旗舒卷遮天蔽日，鸞鈴叮叮噹噹響個不停。

4 天津：天河（銀河）的津渡。朱熹《楚辭集注》："天津，析木之津，謂箕斗之間漢津也。蓋箕北斗南，天河所經，而日月三星於此往來，故謂之津。" 西極：西方的邊荒之地。 鳳凰：指鳳凰形的彩車。 翼：莊重。《詩‧小雅‧六月》："有嚴有翼，共武之服。"傳："嚴，威嚴也；翼，敬也。" 承：文中是插之意。 旂：繪有交龍圖案的旗幟。《周禮‧春官‧司常》："交龍爲旂。" 翼翼：飛翔貌。《文選·王粲〈贈蔡子篤詩〉》："翼翼飛鸞，載飛載東。"注："翼翼，飛貌也。《楚辭》曰：'高翺翔之翼翼。'"

"朝發軔"四句說：早晨自天津啓程，傍晚我便來到西極。鳳車插着莊重的龍旗，高高地在雲霄飛翔。

5 流沙：《尚書·禹貢》："導弱水，至於合黎；餘波入於流沙。"傳："弱水餘波，西溢入流沙。"《漢書·地理志下》："居延澤在東北，古文以爲流沙。"《元和郡縣志》："居延海即居延澤，其沙風吹流行，故曰流沙。"按：先秦典籍大抵以今甘肅居延海一帶的沙漠爲流沙；其實，可能是泛指今甘肅、寧夏的沙漠地帶。漢以後又常以西域之沙漠爲流沙。文中泛指西極的沙漠地區。 遵：循。 赤水：傳說中的水名。《穆天子傳》二："天子已飲而行，遂宿于昆侖之阿，赤水之陽。"注："昆侖山有五色水，赤水出東南隅而東北流。" 容與：形容逍遙從容。麾：音揮 huī，同"揮"，指揮。 梁：橋梁，文中是架橋的意思。 津：渡口。 詔：命令。 西皇：西極之神。 涉：渡。

"忽吾"四句說：倏忽間我已走在流沙之中，我沿着赤水而逍遙緩行。指使蛟龍橫跨津渡當作橋梁，命令西皇渡我過河。

6 以：而。 騰：傳告。《說文》："騰，傳也。" 衆車：衆隨從乘坐的車輛，指衆隨從人員。 徑：速。 侍：護衛。路：文中是經過之意。 不周：傳說中的山名。王逸注："不周，山名，在崑崙西。"《山海經·西山經》："又西北三百七十里曰不周之山。"注："此山形有缺不周匝處，因名云。" 指：朝向。 西海：傳說中極西方的海。 期：目的地。

"路脩遠"四句說：因路程遼遠且多艱險，傳告衆侍從速來護衛。繞過不周山便向左轉，直奔目的地西海而去。

7 屯：聚集。 齊：排列齊整。 玉軑：玉製的車輪，文中指車。軑，音代 dài。《方言》九："輪，韓楚之間謂之軑。"婉婉：蜿蜒游動貌。 載：插的意思。 雲旗：繪有彩雲圖案的旗幟。 委蛇：同"逶迤"。

"屯余車"四句說：集合起千輛隨車，分列排開並駕齊驅。八條游龍蜿蜒飛舞，雲旗逶迤迎風飄揚。

整頓車隊，高揚車旗，直指西海，作最後的遠征，這壯觀的景象顯示着詩人勃勃的雄心和宏偉的氣魄。

8 抑：壓抑。 志：同"幟"。《漢書·高帝紀》："幟皆赤。"師古曰："旗旐之屬，幟即總稱焉。史家字或作識，或作志，音義皆同。" 弭節：謂緩行。 神：心神、精神。 邈邈：音渺 miǎo，王逸注："邈邈，遠貌。言己雖乘雲龍，猶自抑案，弭節徐行，高抗志行，邈邈而遠，莫能追及。"《韶》：相傳是虞舜時的音樂。《尚書·益稷》："簫韶九成，鳳凰來儀。"傳："韶，舜樂名，言簫見細器之備。"也叫韶箾。《左傳》襄公二十九年："（吳公子札）見舞韶箾者。"注："舜樂。"又稱箾韶。《說文》："箾，虞舜樂曰箾韶。"按：箾乃簫之借字。古代歌、舞、音樂三者結合在一起，奏韶樂同時舞蹈，故曰"韶舞"。文中的《九歌》、《韶》，泛指高雅的音樂歌舞。 假日：假此時日，猶言"趁此時光"。 媮：同"愉"，娛樂。洪興祖補注："顏師古云：'此言遭遇幽厄，中心愁悶，假延日月，苟為娛樂耳。'今俗猶言'借日度時'。故王仲宣《登樓賦》云：'登茲樓以自望兮，聊假日以消憂。'"聊假日以媮樂，謂假借時光奏《九歌》與舞《韶》以消憂愁，其實，借歌舞消愁愁更愁，詩人之憂悶是歌舞所無法解除的。

"抑志"四句說：偃卷雲旗緩行車駕，我的精神在高遠的天空馳騁。奏着《九歌》跳起《韶》舞，趁時光未逝聊以寬娛。

9 陟：音治 zhì，升。 陞皇：昇起的太陽，猶言朝日。皇，光明輝煌，指日。 赫：明亮。 戲：音希 xī，同"曦"，日光。 臨：自高處朝向低處。 睨：音匿 nì，斜眼看，瞥。 舊鄉：猶言故國。 僕夫：車夫。 馬：即駕車的飛龍，以飛龍代馬駕車，故稱馬。 懷：眷念。 蜷局：拳曲不舒展。蜷，音拳 quán。 顧：眷顧。王逸注："屈原設去世離俗，周天匝地，意不忘舊鄉，忽望見楚國，僕御悲感，我馬思歸，蜷局詰屈而不肯行，此終志不去，以詞自見、以義自明也。"按："僕夫悲余馬懷兮，蜷局顧而不行"，實則是寫自己的感情。

"陟陞皇"四句說：冉冉上昇的朝日光芒四射，在燦爛的光輝之中忽睹故國。僕夫悲哀馬兒依依難捨，都眷懷蜷曲而不忍離去。

以上三十六句是第十四段。寫在赴西海的征途中，在朝陽裏忽然臨睹故國，勾起去國懷鄉之感，於是悲從中來，再也不忍離別祖國了。

自"索藑茅以筵篿"至"蜷局顧而不行"，是本文的第四部份。在縹緲的幻想中，展開詩人內心的矛盾，進一步揭示他的愛國主義思想。

一開始便寫請靈氛指示出路。靈氛的吉占是"何所獨無芳草"，"孰求美而釋女"，勸其遠走高飛。在楚國那種篤信神巫的社會中，巫覡的吉占幾乎等於不容置疑的律令。但是，詩人對此吉占却公然抱懷疑態度。這是褻瀆神明。他為何如此大胆？因為在他的心目中，對祖國的忠誠高於一切。當別人勸他去國離鄉的時候，他自然要懷疑其正確性。但這畢竟是神巫的指示。是去？是留？他委决不下。於是又求敎於權威的百神，而百神的意見同靈氛的吉占竟相一致。神明的啓示推動鼓舞着他。而且，從切身遭遇中，詩人也痛感楚國的社會黑暗，當權派昏庸腐朽，在這種污濁的環境中，實現自己的政治理想，簡直無從談起。至此，詩人不再懷疑靈氛的神示了。他决定駕龍遠行，另覓出路。飛龍婉婉，雲旗飄飄，浩浩蕩蕩的車隊，在高遠的雲霄裏翶翔。氣勢磅礴，儀容壯美！預示着詩人樂觀的前景。

可是，正當"指西海以為期"，"齊玉軑而並馳"的時候，故國忽然出現在明亮的晨光中。詩人潛藏於心靈深處的眷念故土，熱愛祖國的感情，一下子迸發出來，他頓時輾轉痛苦，悲泣難行了。

這是一幅動人的圖景。使人深刻感到：在詩人情如潮湧的心中，去留的矛盾這時發展到了頂峯。然而，至誠的愛國心終於把他從去國離鄉的道路上拉了回來！他不走了！

人們看到，儘管他在國內受盡迫害和折磨，儘管遠適他方前景可能是光明的，但是，離棄祖國在他的心裏捲起了陣陣痛苦的風暴；他寧肯違背神明的指示，寧肯繼續生活在蛇蠍出沒的荊棘草莽之中，而決不能走！

從在高空向遠方飛馳到忽見故國，這是一個突兀的轉折、驟然的停頓。有如佈滿天空的陰霾忽然消散一樣，給人以鮮明灼目的印象，藝術構思頗具匠心。這種跌宕曲折的妙筆，形象地揭示了詩人思想中激烈的矛盾鬥爭，生動地展現出他廣闊深湛的精神境界和崇高的愛國主義思想，藝術感染力極其強烈。

　　亂曰：已矣哉！國無人莫我知兮，又何懷乎故都！[1] 既莫足與爲美政兮，吾將從彭咸之所居！[2]

【注釋】

1 已矣哉：猶今言算了吧！矣、哉，文中是表感嘆的語氣詞。
無人：無賢明可資治國的人。　莫我知：即"莫知我"。　故都：昔日居住的都城，指郢都。王逸注："已矣，絕望之詞，……屈原言已矣，我獨懷德不見用者，以楚國無有賢人知我忠信之故，自傷之詞。"

"亂曰"三句說：算了吧！國中無賢達，沒有人能理解我，又何必懷念故都呢？

2 莫足：不足。　美政：善政。

"既莫足"兩句說：既不足與他們共修善政，那我將到地下去追隨先賢彭、咸了！

這兩句是對昏君佞臣最嚴厲的指責和血淚的控訴。

這五句亂詞是本篇的最後一部份，是全篇的總結。詩人以簡練而飽蘸感情的語言，說出了他對楚國政局的絕望情緒，以及對國家前途的憂懼之心，明顯反映出此時的詩人，已經在考慮與災難深重的國家同歸於盡，以死殉國的問題了。

天　問

　　天問，即問天的意思。本詩幾乎全部以問句構成，形式非常奇特，在古代詩歌中是絕無僅有的。作者從自然到人世，從往古到當世，就宇宙的構造，天地的演變，上古的神話傳說、古史故事，以至當代歷史等方面，接連提出一百七十多個問題，以批判的眼光大胆地發出疑問，向傳統的觀念挑戰，間或闡明了對某些問題的見解。屈原沒有直接回答這些疑問，但在這些疑問之中包涵着若干深刻的思想，足以證明他具有科學的頭腦和超越同代人的智慧。

　　《天問》的思想傾向同《九章》和《離騷》基本上是一致的。他盛讚商湯、周文舉賢授能的做法，稱道舍身直諫的比干和梅伯，嚴厲批判夏桀與殷紂，借對古人古事的評價，表明他的愛和憎，抒發他的怨憤與不平。他針對楚國的現實情況，以提疑問的形式，總結了歷代興亡的經驗敎訓。這是對楚王發出的明確警告。

　　本詩可能取材於當時的神話傳說以及歷史材料，包括流傳於民間和見於記載者。文中沒有放逐的痕迹，斷於懷王時代比較合乎實情，大約作於懷王二十四年以後。

　　本詩現存版本錯亂頗多。有人將原文順序作了大胆的調整，雖不無道理，但我總以爲臆斷多於根據，終覺不妥。所以這次除個別文字做了校勘訂正之外，餘皆悉如舊貌。雖涉保守之嫌，倒是比較安心的。

　　　曰遂古之初，誰傳導之？

　　　上下未形，何由考之？

曰: 發語詞，與"越"、"粵"同。《詩經·豳風·七月》："曰爲改歲，入此室處。"釋文："曰，音越。" 逐古: 遠古。逐，深遠，同"邃"。《後漢書·班固傳》注引《楚辭》作"邃古之初"。 傳導: 流傳。《周禮·夏官·訓方氏》："誦四方之傳道（導）。"注："傳道，世世所傳說往古之事也。" 上下: 天地。

這四句就太古宇宙事發問: 太古宇宙的情景究竟如何，誰能告訴我們？天地尚未形成，根據什麼來稽察考究？

> 冥昭瞢闇，誰能極之？
> 馮翼惟像，何以識之？

【注釋】

冥: 指夜間。 昭: 指白晝。 瞢闇: 渾沌不明。瞢，音蒙méng，目不明。闇，同"暗"。 冥昭瞢闇,形容處於原始狀態的宇宙，晝夜不分，無形無像，暗昧渾沌的樣子。 極: 窮盡，文中謂透徹瞭解。 馮翼:《韓詩外傳》五："關雎之事大矣哉，馮馮翊翊（翼翼），自東自西，自南自北，無思不服。"《廣雅·釋訓》："馮馮翼翼，元氣也。"據此，馮翼應釋爲元氣充滿之貌，文中形容元氣充溢於太古宇宙。 惟: 同"唯"。 像: 曹耀湘《天問疏證》："像者想像也，無形但可想像耳。"

這四句仍就太古宇宙發問: 無晝無夜冥冥晦暗，太初的宇宙誰瞭解得清楚？唯獨空濛的元氣充盈着上下四方，如何才能認識它的因果本質？

> 明明闇闇，惟時何爲？
> 陰陽三合，何本何化？

時：同"是"，此。　何爲：爲何。　陰陽三合：《春秋穀梁傳·莊公三年》："獨陰不生，獨陽不生，獨天不生，三合然後生。"三合，即指陰、陽、天三者之間的相互作用。　本：指宇宙的本體。　化：化育，變化。

這四句就宇宙起源發問：晝夜變化明暗交替，這是爲什麼？陰、陽、天哪個是宇宙的本體，它們如何互相作用派生出世界萬物來？

> 圜則九重，孰營度之？
> 惟茲何功，孰初作之？

【注釋】

圜：同"圓"；《說文》："圜，天體也。"　則：而，連詞。　九重：九層。古人認爲天有九層，層層包裹。《太玄·玄數篇》："九天：一爲中天，二爲羨天，三爲從天，四爲更天，五爲睟天，六爲廓天，七爲咸天，八爲沉天，九爲成天。"我國的九天之說紛紜多歧，解釋不一，也有人認爲"九"是泛指多數。但不論怎樣解釋，古人以爲天地宇宙是圓的，由多層組成，這一點大體是正確的。關於宇宙結構的看法，在戰國時代有所謂渾天說。此說主張天地是圓的，外裹一個球形的天穹。據記載，名家惠施曾論述過此說，可惜文獻缺損，語焉不詳，無從作進一步的稽考。渾天說後經西漢天文學家落下閎補充和發展，始確立其理論體系。　營：環繞。　度：量度。　茲：此，指"圜則九重"。功：功力。　作：創造。

這四句就"圜則九重"發問：說圓圓的天體有九重，誰環繞它丈量過？如此偉大的功力，最初是誰創造的？

> 斡維焉繫？天極焉加？

八柱何當？東南何虧？

【注釋】

斡：音握 wò；《說文》：“斡，蠡柄也。”蠡柄即斗柄。北斗由天樞、天璇、天璣、天權、玉衡、開陽、搖光七星組成，玉衡、開陽、搖光三星構成斗柄，古人稱之爲杓。　維：維星，即天槍三星，在牧夫座。《漢書·天文志》：“斗杓後有三星，名曰維星。”維在斗柄後面，斗運則維也跟着旋轉，故古人認爲維星繫於斗柄。　焉：何。　繫：音計 jì，聯結。　天極：指北極星。　加：同“架”。　八柱：《淮南子·地形》說，天由八座大山支撐着，此八山稱爲八柱。東北方爲方土山，東方爲東極山，東南方爲波母山，南方爲南極山，西南方爲編駒山，西方爲西極山，西北方爲不周山，北方爲北極山。八柱擎天是很古老的傳說。當：在。　虧：文中是低下之意。“東南何虧”，參見本篇“康回”注。

這四句就斡維、天極和八柱的傳說發問：斡維如何繫連在一起？北極架在什麼上面？八根擎天柱放在何方？東南方爲什麼低窪下去？

九天之際，安放安屬？
隅隈多有，誰知其數？

【注釋】

九天：與上文九重天不同。九重天就天的剖面層次說，這裏的九天就天的平面劃分而言。九天各有名稱，據《淮南子·天文》：中央稱鈞天，東方稱蒼天，東北稱變天，北方稱玄天，西北方稱幽天，西方稱昊天，西南方稱朱天，南方稱炎天，東南方稱陽天。際：邊緣。　屬：音主 zhǔ，連接。　隅：角落。　隈：音威 wēi，曲處。　多有：有許多。《淮南子·天文》：“天有九野，九千九百九十九隅。"

這四句就九天發問：九天的邊緣如何銜接成一個整體？依附在何處？九天的邊緣有許多角隅曲陬，誰知道它的數目？

> 天何所沓，十二焉分？
> 日月安屬，列星安陳？

【注釋】

沓：重複。　十二：十二次。參看《離騷》"攝提"注。陳：安放。

這四句仍就天象發問：九天如何層層重疊？十二次根據什麼來劃分？日月如何繫在黃道上？羣星怎樣安放？

> 出自湯谷，次於蒙汜；
> 自明及晦，所行幾里？

【注釋】

湯谷：又名暘谷，傳說是太陽昇起的地方。　次：止。　蒙汜：傳說是日落的地方，也稱昧谷或蒙谷。汜，音似 sì。　及：至。

這四句就太陽起落運行發問：太陽出自湯谷，落入蒙汜，從朝至暮，行程多少里？

> 夜光何德，死則又育？
> 厥利維何，而顧菟在腹？

【注釋】

夜光：指月亮。　德：同"得"。　死：謂月虧之時。　育：

生，謂月圓之時。古人不明月相盈虧圓缺的道理，而解釋爲月的死和生。周代已有這種說法，如兩周金文中常見的"生霸"、"死霸"，即指此。 厥：其。 利：同"黎"，黑；指月中陰影。 維：語氣詞，無義。 顧：乃。而顧，而乃。 菟：同"兔"，古人認爲月中陰影是兔子，並演變出玉兔在月中廣寒宮搗藥的神話。又據聞一多說，顧菟即月中蟾蜍。

這四句就月相及關於顧菟的傳說發問：月亮有什麼本領，爲什麼死了又能復生？月中陰影究竟是什麼，是不是裏面有隻蟾蜍？

> **女岐無合，夫焉取九子？**
> **伯强何處？惠氣安在？**

【注釋】

女岐：星名，即女宿，二十八宿之一。 合：配偶。 取：生。

伯强：王逸注："伯强大厲疫鬼也，所至傷人。" 伯强即禺强。《山海經·海外北經》："北方禺强，人面鳥身，珥兩青蛇，踐兩青蛇。"相傳禺强是風神，主肅殺；古人又稱之爲厲風。在古代天文學中，箕星主風。文中的伯强是指箕星。箕星爲二十八宿之一，有星四顆。 惠氣：指來自東南方的熏風，即春風。《呂氏春秋·有始》："東南曰熏風。"注："熏風或作景風，巽氣所生，一曰清明風。"

這四句就女岐、伯强的傳說發問：女岐無夫，如何生出九個兒子？伯强在何處？柔和的熏風在何方？

> **何闔而晦？何開而明？**
> **角宿未旦，曜靈安藏？**

【注釋】

闔：關閉。 角宿：二十八宿之一，蒼龍七宿的第一宿，有星兩顆，名左角、右角。在我國古代天文學的星空坐標中，蒼龍七宿位於東方，文中的"角宿"實指東邊方位而言。《北堂書鈔》一五〇引《春秋佐助期》："角為天門，左角神名'其名芳'，右角神名'其光華'。"古人將角星看作天門，所以說"闔"、"開"。　旦：太陽昇起於地平綫上。　曜靈：太陽。

這四句就角宿發問：為何天門關閉則黑，天門敞開則亮？當東方未明之時，太陽藏在什麼地方？

不任汩鴻，師何以尚之？

僉曰何憂，何不課而行之？

【注釋】

任：勝任。　汩：音骨 gǔ，治理。　鴻：洪水。　師：衆人。尚：推舉。　僉：音柬 jiǎn，皆，都。　何憂：猶言不必擔憂。課：考核。《史記·五帝本紀》："四嶽舉鯀治鴻水，堯以為不可，嶽彊請試之。"鯀事詳《惜誦》注。

這四句就鯀治水事發問：鯀不勝任治水重任，大家為何都推薦他呢？衆口一詞地說不必擔憂，為何不先考核而後再委任他呢？

鴟龜曳銜，鯀何聽焉？

順欲成功，帝何刑焉？

【注釋】

鴟：音吃 chī，鷂鷹。　曳：音夜 yè，拖引。　銜：叼。傳說鯀治水時，鴟龜都來幫忙。　聽：讀為"聖"，聖德。　欲：願望。　帝：古稱君主為帝，文中指堯。　刑：懲罰。

這四句仍就鯀事發問：鴟龜都幫助鯀，他有什麼偉大的德行？

鯀順從人們的願望獲得成功，堯爲什麼要懲罰他呢？

> 永遏在羽山，夫何三年不施？
> 伯禹腹鯀，夫何以變化？

【注釋】

　　永遏：長久禁閉。　　羽山：古山名，相傳在今山東境內。　　施：施行，指殺鯀。　　伯禹：《史記·夏本紀》正義引《帝王世紀》：“禹受封爲夏伯，在豫州外方之南，今河南陽翟是也。”因禹曾受封夏伯，故稱伯禹。　　腹鯀：傳說禹母裂腹而生禹，故稱腹鯀，即鯀的裂腹產的兒子之意。

　　這四句仍就鯀事發問：鯀長期幽禁在羽山，堯爲何三年不殺他？禹是鯀的裂腹出生的兒子，爲何父子二人差別如此之大？

> 纂就前緒，遂成考功。
> 何續初繼業，而厥謀不同？

【注釋】

　　纂就：繼承。纂，同“纘”。　　前緒：猶言父志。　　遂：終。　　考：舊稱亡父，文中指鯀。　　謀：指治水的方法。傳說鯀治水以堵塞爲主，禹以疏導爲主。

　　這四句就鯀、禹治水的方式發問：禹承亡父的遺志，完成了鯀的未竟之功。爲什麼紹繼父業，而其方策却不同呢？

> 洪泉極深，何以寘之？
> 地方九則，何以墳之？

【注釋】

　　洪泉：大淵。　　寘：同“填”。《淮南子·地形》：“凡鴻水淵藪，自三百仞以上，二億三萬三千五百五十里有九淵，禹乃以息土塞洪水，以爲名山。"注："息土，不耗減，掘之益多，……名山，大山也。" 方：比。 九則：九等。據《尚書·禹貢》，古人把土地分爲上上、上中、上下，中上、中中、中下、下上、下中、下下九等，上上肥沃，適於人居住繁衍，下下最貧瘠。 墳：分。

這四句就禹治水事發問：大淵深邃廣闊，禹是怎樣塞平的？把土地區別爲九等，是怎樣劃分的？

> 應龍何畫？河海何歷？
>
> 鯀何所營？禹何所成？
>
> 康回馮怒，地何故以東南傾？

【注釋】

應龍：神龍名。傳說應龍助禹治水，以尾劃地，開出深溝河道，使洪水瀉流。 歷：經過。 營：經營。 康回：即共工，古代傳說中的人物。《淮南子·天文訓》："昔者共工與顓頊爭爲帝，怒而觸不周之山，天柱折，地維絕。天傾西北，故日月星辰移焉；地不滿東南，故水潦塵埃歸焉。" 馮怒：勃然大怒。馮，同"憑"，楚方言稱怒爲憑。 以：自。

這六句就鯀、禹治水和共工事發問：應龍怎樣以尾劃大地，洪水如何變爲江河，江河流經何處歸向大海？鯀如何經營治水？禹有哪些成就？共工發怒，大地爲何從東南方傾斜下去？

> 九州何錯？川谷何洿？
>
> 東流不溢，孰知其故？

【注釋】

九州：泛指全國。 錯：同"措"，壅水。 洿：音烏 wū，污水積聚不流。　溢：因滿而流出。

　　這四句就古代洪水事發問：大地爲何一片汪洋？河谷爲什麼不流通？及至大禹治水之後，百川滔滔東流，大海爲什麼不漫溢？誰知道其中的緣故？

東西南北，其修孰多？
南北順橢，其衍幾何？

【注釋】

　　東西南北：指大地從東到西、從南至北的長度。關於大地的廣狹，古人有不同的說法。《呂氏春秋・有始》：“凡四海之內，東西兩萬八千里，南北兩萬六千里，……凡四極之內，東西五億有九萬七千里，南北亦五億有九萬七千里。”《山海經・海外東經》：“帝命豎亥步自東極至于西極，五億十選九千八百步，……一曰禹令豎亥，一曰五億十萬九千八百步。”注：“天地東西二億三萬三千里，南北二億一千五百里。”　修：長。　順橢：橢圓。橢，同“橢”。　衍：展延。　幾何：多少。

　　這四句就大地的度量發問：大地的東西和南北，哪個長些？據說南北是橢圓的，廣延有多長？

崑崙縣圃，其尻安在？
增城九重，其高幾里？

【注釋】

　　縣圃：見《離騷》注。　尻：同“尻”，音 kāo，尾骨，文中指崑崙山的邊緣。　增城：相傳崑崙山上有九層的城闕，高一萬餘里。增，同“層”。

　　這四句就崑崙山的傳說發問：崑崙的邊際在何方？縣圃的九

層城闕高多少里？

> 四方之門，其誰從焉？
> 西北辟啓，何氣通焉？

【注釋】

四方之門：相傳崑崙的九層城闕四面均有門戶。《淮南子·
地形》：“（增城九重）旁有四百四十門，門間四里，……北門
開以納不周之風。” 西北：指增城西北方的門。 辟啓：開啓。
氣：指風。

這四句就崑崙增城的傳說發問：四方的大門，是誰從中進出？
打開西北方的門，什麼風從中吹過？

> 日安不到，燭龍何照？
> 羲和之未揚，若華何光？

【注釋】

安：何。 燭龍：《山海經·大荒北經》：“西北海之外，
赤水之北，有章尾山，有神，人面蛇身而赤，直目正乘，其瞑乃
晦，其視乃明，不食、不寢、不息（呼吸），風雨是謁，是燭九
陰，是謂燭龍。”《淮南子·地形》“燭龍”高誘注：“一曰龍
銜燭，以照太陰。蓋長千里，視爲晝，瞑爲夜，吹爲冬，呼爲夏。”
綜合古代傳說看，燭龍的威力極大，它睜眼天亮，閉眼天黑，可
以照耀大地的幽隱之處。但是，太陽主宰着日夜，陽光無所不到，
爲何又有這麼個怪東西呢？屈原迷惑不解了，所以提出疑問。
羲和：日神。 未揚：指羲和趕日車的鞭子未揚起來，即日車未
啓動、太陽未昇起來的意思。 若華：若木的花。據說若木之花
光照下地。羲和見《離騷》注。若木見《悲回風》注。

這四句就燭龍、若木的傳說發問：陽光無所不到，何須燭龍來照耀？太陽尚未昇起，若木之花為何閃光？

> 何所冬暖？何所夏寒？
> 焉有石林？何獸能言？

【注釋】

何所：何處。冬寒夏熱，古人認為是不易之常理。但地球上還有沒有冬暖夏寒的地方呢？古人是不明白的。關於石林和能說話的禽獸，古代必定有所傳聞，所以屈原才提出疑問。這些傳說的具體內容今已不得而知了。

這四句就當時一些奇特的傳說發問：何處冬日溫暖？何處夏季嚴寒？哪裏有石頭的樹林？什麼禽獸能夠說話？

> 焉有虬龍，負熊以遊？
> 雄虺九首，儵忽焉在？
> 何所不死？長人何守？

【注釋】

虬龍：傳說是一種無角的龍。　以：而。　虺：音悔 huǐ，一種毒蛇。虬龍負熊和雄虺九首的傳說今已不明。　儵忽：古代傳說中的兩個帝王名。《莊子‧應帝王》："南海之帝為儵，北海之帝為忽，中央之帝為渾沌。儵與忽時相與遇於渾沌之地，渾沌待之甚善。儵與忽謀報渾沌之德曰：'人皆有七竅，以視、聽、食、息，此獨無有，嘗試鑿之。'日鑿一竅，七日而渾沌死。"渾沌的真實涵義本指太古之初處於迷濛狀態的宇宙，儵、忽使渾沌具有七竅並且死亡，意味着世界由渾沌轉為明朗，即天地成形了。那麼，儵和忽則是與創世有關的神明了。　不死：永生。古代關於長生不死的傳說很多。如《呂氏春秋·愼行》："羽人、裸民之處不死之鄉。"《山海經·海外南經》:"不死民在其（指交脛國）東，其爲人黑色，壽不死。"注:"有員丘山，上有不死樹，食之乃壽，亦有赤泉，飲之不老。"屈原對不死之說持懷疑態度。　長人：長壽的人。　何守：憑藉什麼，指長生的原因。守：據、持。

　　這六句就虬龍、鯥忽、長生等傳說發問：何處有負熊而遊的虬龍？雄虺何以長着九個頭？鯥和忽又在何方？哪裏有不死之鄉？長生不死的人靠什麼秘訣？

　　　靡萍九衢，枲華安居？
　　　一蛇吞象，厥大何如？

【注釋】

　　靡：音迷 mí，分散蔓延。　萍：同"萍"，浮萍。　九衢：縱橫交錯的大道。九，泛指多數。衢，四通八達的大道。　枲華：枲麻的花。枲，音洗 xǐ，一種麻類。　安居：何處。九衢之萍和枲華的故事今已不明。　一蛇吞象：蛇和象是頗受古人重視的兩種動物。它們廣泛存在，與古人的生活也有較多的聯系，因此必然會引起人們的反映，並產生出許多有關蛇和象的神話傳說來。信陽楚墓中曾出土一件大鎮墓獸，作食蛇神兩手各抓一蛇正在咀嚼的形狀；在秦漢以前的文物中，也常出現以蛇貫耳的獸首人身或人首獸身的怪物的形象，或是以足踐蛇的形象；先秦時代作禮器用的青銅器上，也有不少蛇或象的造形，如晚商的九象尊和周代的四蛇方瓶。至於蛇吞象的故事，見於記載的有《山海經·海內南經》："巴蛇食象，三歲而出其骨。"注:"今南方蚺蛇吞鹿，鹿已爛，自絞於樹，腹中骨皆穿鱗甲間出，此其類也。"上述證據說明，古人對蛇和象懷有一種恐懼或崇敬的心情，並形成一種宗教性的習俗，如珥蛇、踐蛇，以及用食蛇神鎮墓等均是例證。

這四句就麋萍、枲華和蛇象的傳說發問：有枝枒縱橫如通衢達道的浮萍嗎？盛開的枲花在何方？一蛇吞象，那該有多大呢？

> 黑水玄趾，三危安在？
>
> 延年不死，壽何所止？

【注釋】

黑水：即達溪河，又名黑水，為涇河的支流，在今甘肅靈臺縣北。楚的先人曾在黑水一帶定居過。據《世本》，黃帝第六子羋（音米 mǐ）姓的季連是楚的祖先，居住於黃河流域，大概就在黑水一帶。黑水的姚家河曾出土一件《羋叔鼎》，這是羋氏在黑水居住過的證據。到周成王時羋氏封於荆，遂成為楚的統治者。大約到了屈原時代，楚先祖的遺迹已很渺茫了，而古代有數條河流都叫黑水，如今甘肅蒲河的上游，古代也稱黑水，並且都在梁、雍二州，屈原弄不清楚先祖的發祥地究竟在哪裏，所以提出質疑。

玄趾：山名，地望不詳。　三危：山名。《山海經·西山經》：「三危之山，三青鳥居之。」注：「竄三苗於三危是也。」據《史記·五帝紀》集解，三苗國在今兩湖一帶，則三危與楚人又有關係了。屈原關心三危的地望，看來是有隱情的。由此推斷，玄趾同楚的歷史發展，大概也有關係。　止：截止。

這四句就黑水、三危和長生者等問題發問：黑水、玄趾、三危山究竟在何處？長生不死的人，壽命延續到什麼時候？

> 陵魚何所？鯪堆焉處？
>
> 羿焉彃日？烏焉解羽？

【注釋】

陵魚：傳說中的人魚名，人面人手人腳，魚身，在海中。

172

魖堆：傳說中的怪鳥，形狀如雞，白頭鼠足，虎爪，吃人。堆，同"鴟"，雀類。　羿：傳說堯的時候，十日並出，草木枯焦，堯下令羿以硬弩射日，羿射中九日，日中的金烏毛羽散墜都死掉了。於是只有一個太陽照耀着人間。關於日中金烏的神話一直延續到後代。長沙馬王堆漢墓出土的帛畫，繪着九個太陽，八大一小，大日中有一金烏。　焉：何。　彈：音畢 bì，射。　烏：指日中金烏。　解羽：羽毛散落。

這四句就陵魚、魖堆和羽射日事發問：陵魚何在？魖雀何在？羿如何射日？金烏如何解羽？

禹之力獻功，降省下土四方。
焉得彼嵞山女，而通之于台桑？

【注釋】

獻功：貢獻給事業。功，指治水大業。　降：下，指禹到人民中去。降，音醬 jiàng。　省：音醒 xǐng，考察。　下土：指天下。　嵞山女：傳說禹在治水期間娶塗山氏女爲妻。嵞，同"塗"。　通：婚配。　台桑：地名。

這四句就禹事發問：禹將全部力量獻給了治水的事業，並到各地視察情況。在如此繁忙之中，怎會得到塗山氏女，並與她在台桑婚配呢？

閔妃匹合，厥身是繼？
胡維嗜不同味，而快鼂飽？

【注釋】

閔：憐愛。　妃：謂塗山氏女。　匹合：匹配。　厥身：指禹自身。　繼：接續後嗣。　胡：何。　維：句中語助詞。　嗜：

愛好。　味：指情慾。　朝飽：求得一時的滿足。朝，同“朝”。傳說大禹娶塗山氏女，不以私害公，辛日結婚，甲日便離別新婚的妻子去治水，在家僅僅住了四天。

這四句仍就禹事發問：大禹憐愛塗山氏女而同她結婚，難道僅僅爲了有個後嗣嗎？不然的話，爲什麼他的嗜慾與一般人不同，只享受一朝的溫情便滿足了呢？

> 啓代益作后，卒然離蠥？
> 何啓惟憂，而能拘是達？

【注釋】

　啓代益：啓是禹的兒子，益是禹的重臣。傳說禹死時傳位給益，但啓的勢力很大，威脅到益的地位，益於是將啓囚禁起來，又經過反覆的爭奪，最後啓殺益，奪取了王位，建立了夏朝。作后：當君主。古稱君王爲后。　卒然：同“猝然”。　離蠥：遭殃。離，同“罹”。蠥，音孽 niè，災難。　能：乃、却。拘：囚禁。　達：走運，指啓代益爲君。

　這四句就啓代益事發問：啓代益爲君，怎麼突然間被囚禁起來？爲何啓在遭難之後，却能解脫出來並做了國君呢？

> 皆歸躹籍，而無害厥躬。
> 何后益作革，而禹播降？

【注釋】

　皆：都，指禹和啓。　歸：趨向。　躹籍：恭謹。躹，同“躬”。籍，同“鞠”。　厥躬：其身。　后益：益曾做過君主，故稱后益。　作革：國運短暫。作，同“祚”。革，變。　播：揚。　降：讀爲“隆”，昌盛。益只做了三年的君主，所以說“作

174

革”。啓建夏至桀亡國傳十三世、十六王，計四百餘年，故說禹後嗣昌盛。

這四句就啓益不同的命運發問：益和啓都行事恭謹，而未做過損害榮譽的醜事，爲何后益享國短暫，禹的後代却很隆盛呢？

啓棘賓商，《九辯》《九歌》，

何勤子屠母，而死分竟地？

【注釋】

棘：九棘的省稱。古有九棘之位，是諸侯命官上朝時的席位，頗爲尊貴。《周禮·秋官·朝士》：“掌建邦外朝之法：左九棘，孤卿大夫位焉，羣士在其後；右九棘，公侯伯子男位焉，羣吏在其後。” 賓商：待商均如上賓。商均是舜子，舜傳位於禹，啓建夏後，爲表示尊崇舜，不讓商均稱臣，封給他疆土以奉舜祀。

《九辯》《九歌》：據《山海經·大荒西經》載，啓以三位美女換得天帝的神曲《九辯》、《九歌》，帶到人間來演奏。 勤子：猶言賢子，指啓。 屠母：相傳禹開鑿轘轅山時化爲一隻大熊搬運石頭，他告誡其妻塗山氏女說：送飯以鼓響爲號。禹工作時誤中鼓，其妻往見禹，却是一隻熊，她很羞慚，跑到嵩高山下化爲石人。這時正值她臨近分娩的時候，禹對着石人說：還我孩子！於是石人破開生出啓來。屠母即指此。 死分竟地：猶言屍骨分裂委地。

這四句就啓事發問：啓待商均敬如上賓，供之於九棘的高位，尊重天帝獲得《九辯》、《九歌》，爲何竟使他的母親分屍裂骨呢？

帝降夷羿，革孽夏民，

胡䠶夫河伯，而妻彼雒嬪？

175

帝: 天帝。　降: 降生。　夷羿: 羿是東夷有窮氏的首領,故稱夷羿,長於射箭。　革: 消除。　孽: 災難。　夏民: 夏部族的人民。《左傳·襄公四年》載: 啓子太康耽於宴飲遊畋,羣怨沸騰,東夷后羿乘機攻夏,“因夏民以代夏政”。“革孽夏民”即指這段史實。　肹: 古“射”字。　河伯: 舊注多釋爲水神,據上下文義,似非。殷墟甲骨文中有“于河告”、“匸于河”的記載,按照甲文的句例,河當爲人名,則河伯應爲方伯名。在殷代,方伯是受封或從屬於殷王朝的諸侯,獨佔一方。夏代恐怕也有類似的政治結構。河伯可能就是這類方伯。河部族大概從夏代延續到殷代,所以出現於甲文中。　妻: 以……爲妻、娶的意思。

雒嬪: 即宓妃,河伯的妻室。相傳她是洛水水神。其實,她可能是被神化了的雒部族的女性。雒,同“洛”,即今河南洛水。羿射河伯、妻雒嬪的情節均已不明。據文義推斷,可能羿與雒嬪有姦情,因而射殺河伯。

這四句就夷羿事發問: 天帝降生夷羿,是讓他爲夏人消憂弭患的,他爲什麼射死河伯,以雒嬪爲妻呢?

馮珧利決,封狶是肹,
何獻蒸肉之膏,而后帝不若?

馮: 大。　珧: 音姚 yáo,蚌蛤的甲殼。馮珧,指兩端鑲着貝殼的大弓。　決: 即搬指,射箭時套在扣弦的手指上的骨或玉製的工具,起保護手指且得以用力的作用。利決,適用的搬指。

封狶:《左傳·昭公二十八年》:“昔有仍氏生女,黰黑而甚美,光可以鑒,名曰玄妻。樂正后夔取之,生伯封,實有豕心,貪惏無饜,忿纇無期,謂之封豕。有窮后羿滅之,夔是以不祀。”封狶即封豕。狶,音希 xī,野猪。　獻: 將祭品貢給所祭的鬼神。

蒸：冬祭名蒸。　膏：油脂。　后帝：天帝。　若：允當，應允。

這四句就羿射封豨事發問：羿以雕弓利矢決射死封豨，除了一害，爲何他把封豨的肥肉祭獻天帝，天帝却不滿意呢？

　　浞娶純狐，眩妻爰謀；
　　何羿之躲革，而交吞揆之？

【注釋】

浞：寒浞。見《離騷》注。　純狐：即玄妻。史載寒浞殺羿佔有其妻室，那麼，應當是羿殺封豨之後據玄妻爲己有，而後玄妻又委身於寒浞。　眩：同"玄"。　爰：音原 yuán，與。浞與玄妻合謀殺羿，玄妻或懷復仇之心。內情如何，史無記述，我們只能據"眩妻爰謀"一句推斷。　躲革：射皮革。傳說羿一箭可射穿七層皮革。　交：指寒浞和玄妻相與爲謀。　吞：滅。　揆：音魁 kuí，破。　之：指羿。

這四句就寒浞與玄妻殺羿事發問：寒浞娶純狐爲妻，是因她參與了殺羿的陰謀；爲什麼羿有射穿皮革的本事，却被寒浞、玄妻謀殺了呢？

　　阻窮西征，巖何越焉？
　　化爲黃熊，巫何活焉？

【注釋】

阻窮：險阻困難。　征：遠行。傳說堯將鯀放逐到東方的羽山，流途遙遠而艱險。　化熊：《左傳·昭公七年》："昔堯殛鯀于羽山，其神化爲黃熊，以入于羽淵。"巫使鯀復活的故事不明。

177

這四句就鯀被放逐的傳說發問：鯀自西向東遠征羽山，千巖萬壑險阻多艱，他如何越過險峻的山嶺？鯀死後化爲黃熊，巫師怎能使他復活？

> 咸播秬黍，莆雚是營，
> 何由并投，而鯀疾修盈？

【注釋】

咸：都、全。　播：種。　秬：音巨 jù，黑黍。　莆：同"蒲"，水生植物，用以織席。　雚：音貫 guàn，草名，即芄蘭。　營：經營。　并投：據《史記·五帝本紀》，堯流共工於幽陵，放驩兜於崇山，遷三苗於三危山，殺鯀於羽山。"并投"即指將此四者同時治罪投放到外地。　疾：罪惡。　修：長遠。　盈：滿。修盈，指鯀罪惡滔天。

這四句仍就被流放事發問：鯀領導治水，開發了莆雚叢生的土地，播種了五穀秬黍，爲什麼同共工、驩兜、三苗一起流放治罪呢？鯀果真惡貫滿盈嗎？

> 白蜺嬰茀，胡爲此堂？
> 安得夫良藥，不能固臧？

【注釋】

白蜺：形容女性衣飾之華美，猶如後世所謂的霓裳羽衣。蜺，同"霓"。　嬰：繞，指項上的飾物。　茀：音扶 fú，頭飾。白蜺嬰茀，均指嫦娥的衣着裝飾。　堂：堂皇。　夫：彼。　良藥：指不死藥。據《淮南子·覽冥》，羿自西王母處得到長生不死藥，被其妻嫦娥偷吃了，嫦娥成仙奔入月宮。得不死藥的羿是堯臣，非被寒浞所殺之羿。　臧：同"藏"。

178

這四句就嫦娥偷吃不死藥事發問：嫦娥身着霓裳頭戴麗飾，爲何裝扮得如此堂皇？羿如何丟失了艮藥，爲何沒有藏好？

> **天式從橫，陽離爰死，**
> **大鳥何鳴，夫焉喪厥體？**

【注釋】

天式：天的法則。　從橫：即縱橫，交錯滿佈之意，謂天的法則處處都起作用。　陽：即上文"陰陽三合"的陽。　爰：乃。

大鳥：指日中金烏。鳴，當爲"瑪"之誤。瑪，同"鴻"。《呂氏春秋·執一》："五帝以昭，神農以鴻。"注："鴻，盛也。"文中謂金烏陽氣旺盛。

這四句就金烏解羽事發問：天的法則主宰一切，凡生物離開陽氣便會死亡，日中金烏陽氣那樣旺盛，怎麼會喪失生命？

> **蓱號起雨，何以興之？**
> **撰體協脅，鹿何膺之？**

【注釋】

蓱：即蓱翳，也作屛翳，雷師。　號：呼號，謂打雷。　撰：同"巽"，和順。　協：柔和。　脅：腋下肋骨部位，文中指鹿的兩肋。　鹿：指風伯飛廉。傳說飛廉鹿身蛇尾，雀頭豹文。　膺：同"應"，響應。

這四句就雷神風伯的傳說發問：蓱翳一打雷就下雨，它怎樣興雲作雨呢？鹿秉性柔順，爲何鹿身的風伯竟響應蓱翳而推風助雨？

> **鼇戴山抃，何以安之？**
> **釋舟陵行，何以遷之？**

【注釋】

鼇: 音熬 áo，傳說中的海中巨龜。 戴: 一作"載"，古戴載通用。 抃: 音變 biàn，舞動貌。 安: 安穩。《列子·湯問》: "渤海之東，不知幾億萬里，有大壑焉。實惟無底之谷，其下無底，名曰歸墟，八絃九野之水，天漢之流，莫不注之，而無增無減焉。其中有五山焉: 一曰岱輿，二曰員嶠，三曰方壺，四曰瀛洲，五曰蓬萊。其山高下周旋三萬里，其頂平處九千里，山之中間相去七萬里，以爲鄰居焉。其上臺觀皆金玉，其上禽獸皆純縞，珠玕之樹皆叢生，華實皆有滋味，食之皆不老不死。所居之人皆仙聖之種，一日一夕飛相往來者，不可數焉。而五山之根無所連箸，常隨潮波上下往還，不得暫峙焉。仙聖毒之，訴之於帝，帝恐流於西極，失羣聖之居，乃命禺彊使巨鼇十五舉首而戴之，迭爲三番，六萬歲一交焉。五山始峙而不動。" 釋: 離開。 陵: 大土丘，文中指陸地。 遷: 移。據《列子·湯問》，龍伯國有巨人，到岱輿、員嶠二山垂釣，釣得六隻巨鼇，揹回龍伯國，鑽灼龜骨用來卜筮; 岱輿、員嶠二山失去巨龜的馱負，漂流到北極，沉沒於大海中，山上的仙聖散落無踪者以億數。

這四句就鼇負五山的神話發問: 鼇載仙山總要浮動，仙山怎能安穩呢? 龍伯巨人揹着大龜不乘船而像在陸上行走一樣，他如何越過茫茫大海?

惟澆在戶，何求於嫂?
何少康逐犬，而顛隕厥首?

【注釋】

澆: 寒浞之子。據《竹書紀年》載，澆攻滅夏君主相，相子少康潛伏隱忍，積蓄力量，伺機再起，終於利用狩獵逐獸的機會襲殺澆，恢復了夏朝。 戶: 指室內。據《離騷》"澆身被服强圉兮，縱欲而不忍"，澆是位頗有力氣的人，他深居簡出，縱慾

180

酗酒，可能很殘暴。　嫂：當是"獀"字之誤；春獵叫獀，文中泛指狩獵。　逐犬：指少康利用畋獵之機襲殺澆的事。　顛隕：落地。

　　這四句就少康殺澆事發問：澆深居簡出，少康如何能利用狩獵的機會殺他？爲何少康放出獵犬，就能殺死澆？

女歧縫裳，而館同爰止！
何顛易厥首，而親以逢殆？

【注釋】

　　女歧：即女艾。女艾逢裳的事它書未見。但據《左傳·哀公元年》"（少康）使女艾諜澆"和《竹書紀年》"世子少康使汝（女）艾伐過殺澆"的記載，這段史實大概如此：女艾設計接近澆，以色相迷惑他，借爲澆縫衣服的機會殺死澆，並率軍消滅了澆的餘黨，使少康復位。女歧逢裳殺澆和少康逐犬殺澆二者是兩種傳聞，還是同一段史實，二者之間有什麼聯系，已經難以弄清楚。　館同：謂住所相同。　爰：而。　止：留。　顛易：顛隕。以：而。　逢殆：遭殃、冒險。

　　這四句仍就澆被殺事發問：女歧爲澆縫衣服而與之同居，她親自冒險進虎穴殺澆，這是爲什麼？

湯謀易旅，何以厚之？
覆舟斟尋，何道取之？

【注釋】

　　湯：大。　謀：欲。　易：整治。　旅：鎧甲。上古的鎧甲以皮革製成，重甲有數層厚皮。　厚：增厚。　覆：翻。　斟尋：也作"斟鄩"，古部族名，活動地區在今山東一帶。《竹書紀年》：

"（夏后相）二十七年，澆伐斟鄩，大戰于濰，覆其舟，滅之。"

道：理由。　取：指攻滅斟鄩。

　　這四句就澆滅斟鄩事發問：澆一心整備重甲，他如何加厚？傾覆斟鄩的船滅亡人家，他憑什麼這樣做？

桀伐蒙山，何所得焉？
妺嬉何肆，湯何殛焉？

【注釋】

　　蒙山：古山名。也稱岷山（古蒙岷通用）。據《竹書紀年》，夏桀十四年，派扁伐岷山，岷山人向桀獻兩美女，名叫琬、琰，桀很寵愛二女，將其元妃妺嬉拋棄於洛地，妺嬉的部族怨恨夏桀，同商湯聯合起來滅了夏桀。　妺嬉：謂妺嬉及其部族。　何：不。

　　肆：助。　殛：音極 jí，殺，文中是懲罰之意。《竹書紀年》："（夏桀）三十一年，商自陑征夏邑，克昆吾，大雷雨，戰于鳴條（故地在今山西西南安邑鎮一帶），夏師敗績，桀出奔三朡，商師征三朡，戰于郕，獲桀于焦門，放之于南巢。"

　　這四句就桀伐蒙山事發問：桀伐蒙山，除得到亡國美女外，還有什麼收穫？若非妺嬉氏從中幫助，湯怎能輕易地打敗夏桀？

舜閔在家，父何以鰥？
堯不姚告，二女何親？

【注釋】

　　閔：同"憫"，愛。相傳舜對父母至孝至敬。　父：當為"夫"的誤字，指舜。　鰥：音官 guān，同"鰥"，男人未婚獨居。相傳舜曾一度鰥居，後來堯將其女娥皇、女英嫁給舜為妻。據《孟子·萬章》，堯嫁二女，未對舜父講。　姚：指舜父瞽叟。

182

舜姓姚，因他生於姚墟（相傳故地在今河南濮陽）。姚告，即告訴姚。　二女：指娥皇、女英。

這四句就舜婚姻事發問：舜敬愛父母沒有過失，其父爲何讓他鰥居呢？堯嫁二女倘若不告訴瞽叟，二女怎能同舜成親？

<blockquote>

厥萌在初，何所憶焉？

璜臺十成，誰所極焉？

</blockquote>

【注釋】

厥：其，指紂王。據說殷紂腐化的作風剛一露頭，箕子就很擔憂。《韓非子·說林上》：“紂爲象箸而箕子怖，以爲象箸必不盛羹於土簋，則必犀玉之杯，玉杯象箸必不盛菽藿，則必旄象豹胎，旄象豹胎必不衣短褐而舍茅茨之下，則必錦衣九重、高臺廣室也。稱此以求，則天下不足矣。”　萌：萌芽。　憶：同“臆”，預料。　璜臺：玉臺。璜，音黃 huáng，美玉。　十成：猶言十層。中國古代形容高臺廣廈習慣用“九重”、“九成”，此言“十成”，謂超越世間最高最美的建築，以示殷紂奢華無度。　極：盡，完成之意。

這四句就窮奢極慾事發問：爲何紂王的奢慾剛一萌芽，箕子便預料到它的後果了？十層高的華臺，是誰爲他建造起來的呢？

<blockquote>

登立爲帝，孰道尚之？

女媧有體，孰制匠之？

</blockquote>

【注釋】

登：女登，傳說中的遠古部族的領袖人物，大概是母系氏族時代的人。《帝王世紀》：“炎帝神農氏，姜姓，母女登。”帝：古君主後人稱之爲帝。　孰道：什麼道理。　尚：崇尚。

女媧：傳說中的女帝名。《帝王世紀》：“包犧氏沒，女媧氏代立爲女皇，亦風姓也。”傳說女媧蛇身人首，一日七十變。世傳女媧煉五色石以補蒼天。《淮南子·覽冥》：“往古之時，四極廢，九州裂，天不兼覆，地不周載，火爁炎而不滅，水浩洋而不息，猛獸食顓民，鷙鳥攫老弱。於是女媧煉五色石以補蒼天，斷鼇足以立四極，殺黑龍以濟冀州，積蘆灰以止淫水。蒼天補，四極正，淫水涸，冀州平，狡蟲死，顓民生。”據文獻記載，女媧還製造了笙簧等樂器，訂了婚嫁之禮，規定同姓不得通婚。凡此種種傳說，證明女媧是母系氏族社會中一位聲名卓著的女英雄。長沙馬王堆漢墓出土的帛畫的上部中央繪一人身蛇尾的圖像，披髮無冠，着藍衣，尾赤紅，即女媧的形象。這說明直到漢代，女媧仍備受推崇。　體：指女媧奇怪的形體。　制匠：製作。

　　這四句就女登和女媧的傳說發問：女登居然做了女皇，人們爲何如此崇拜她？傳說女媧能捏土造人，她自己的身體又是誰製造出來的？

舜服厥弟，終然爲害。
何肆犬豕，而厥身不危敗？

【注釋】

　　服：順從恭謹。據文獻記載，舜父冥頑不靈，舜母愚昧無知，弟象傲慢自恃。但舜能忍小憤識大體，上孝父母下親兄弟。　終然：終於。　爲害：受害。據《史記·五帝紀》，舜母死後，舜父瞽叟又娶妻生子象。瞽叟與後妻和象合謀殺舜。瞽叟命舜上糧倉塗泥，乘機縱火燒倉，舜以兩頂斗笠護身跳下，幸未燒死。後瞽叟命舜挖井，舜從井下穿鑿一條通道以防不測，當舜正在井下工作時，瞽叟同象推土填井，舜自通道逃脫。瞽叟與象以爲舜已死，非常高興。象說：舜的妻子歸我，他的牛羊倉廩給父母。象霸佔了舜的屋子，並彈奏舜的琴。這時舜來見象，象很震驚，撒

184

謊說：我正想你哩！舜說：對呀，你該有點手足之情！ 肆：放肆、逞狂。 犬豕：狗豬，謂象的心腸。據說象雖屢次謀殺舜，却被封於有鼻，未受懲罰。

這四句就象害舜事發問：舜對弟弟仁愛，却大受其害。象使盡猪狗一般的壞心腸，爲何不受懲罰？

　　吳獲迄古，南嶽是止，
　　孰期夫斯？得兩男子。

【注釋】

　　吳：吳國。據《史記·吳太伯世家》，太伯、仲雍、季歷都是周太王之子，太王欲立季歷，太伯和仲雍爲讓位給季歷而逃奔南嶽，斷髮文身，成爲當地人的君長，太伯自號句吳。太伯死後仲雍即位，傳至十九代孫壽夢時，吳始強大，稱雄於東南。 獲：得、能。 迄古：終古、長久。 南嶽：南方的山，泛指吳地的山。 止：居留。 期：期望。 夫：於。 斯：此，指吳國由南嶽發展到控制長江下游、稱霸東南的強盛局面。 兩男子：謂太伯和仲雍。

這四句就吳立國事發問：吳很古便已建國，只有吳中這塊不大的地方，誰能指望取得後來這樣偉大的成果，多虧太伯和仲雍這兩個人了。他們是怎樣治理的？

　　緣鵠飾玉，后帝是饗。
　　何承謀夏桀，終以滅喪？

【注釋】

　　緣：沿着。 鵠：器皿的木胎。緣鵠飾玉，指在器皿的木胎上鑲飾美玉製成精美的食具。 后帝：指商湯和夏桀。 饗：獻

185

食。相傳伊尹曾携帶美味去晉見夏桀和商湯，他發現桀不足與成事，於是決定佐助商湯。　承謀夏桀：爲夏桀出謀畫策。　終以：終於。

這四句就伊尹見商湯夏桀的故事發問：伊尹以精緻的食具向商湯和夏桀奉獻美味，他們都享受到了。爲什麽夏桀却滅亡、商湯却勝利了呢？

> 帝乃降觀，下逢伊摯；
> 何條放致罰，而黎服大説？

【注釋】

帝：指湯。　降：指湯下到民間。　觀：考察民情風俗。伊摯：即伊尹。伊尹名伊，又名摯，尹是官名。　條放：指桀敗於鳴條被放逐到南巢一事。　黎服：天下黎民。相傳古代王畿以外的地方劃分爲五種地區——甸服、侯服、綏服、要服、荒服，簡稱服。　説：同“悦”。

這四句就商湯擢用伊摯和夏桀亡國事發問：商湯深入下層考察，逢伊尹舉而任用之；爲什麽夏桀戰敗受到懲罰，而天下黎民却歡騰雀躍？

> 簡狄在臺，嚳何宜？
> 玄鳥致貽，女何嘉？

【注釋】

簡狄：見《離騷》注。　宜：匹配。　玄鳥：燕子。玄鳥致貽，相傳帝嚳使玄鳥去探視簡狄，簡狄捉住玄鳥覆蓋在筐下，少頃揭筐探看，玄鳥乘機飛去，遺下兩枚卵，簡狄吞食了鳥卵，懷孕生契。契是商人祖先。　貽：音移 yí，贈送。　女：指簡狄。

嘉：吉祥，謂懷孕生契。

這四句就簡狄的故事發問：簡狄居於九重高臺中，帝嚳怎能同她結爲夫婦？燕子贈卵，簡狄如何便懷了身孕？

> 該秉季德，厥父是臧，
> 胡終弊于有扈，牧夫牛羊？

【注釋】

該：即王亥，商殷的祖先。殷墟甲骨卜辭稱王亥爲高祖，祭祀頗爲隆重。據文獻記載，王亥寄居於有易部族，爲河伯（諸侯名）放牧牛羊，後被有易君主綿臣所殺，並奪去他的牛羊。王亥之子上甲微滅有易，殺綿臣，商部族逐漸發展起來，傳至商湯終於建立了強大的奴隸制國家。　秉：兼、繼承。　季：即冥，王亥之父，是臣服於夏的一位部族首領，曾任夏朝的高級官吏，並曾參與治理黃河。《竹書紀年》："（夏）帝少康十一年，使商侯冥治河。……帝杼十三年，商侯冥死于河。"　厥父：其父，指冥。　臧：善，榜樣。　弊：死。　有扈：即有易，夏部族名，活動於今河北易水一帶。"胡終"二句因協韻倒裝，把原文顛倒過來，"牧夫牛羊，胡終弊于有扈"，意義就很清楚了。

這四句就王亥事發問：王亥秉承冥的德行，以父親爲榜樣，勤懇地放牧牛羊，爲何終於被有易所殺？

> 干協時舞，何以懷之？
> 平脅曼膚，何以肥之？

【注釋】

干協：舞名，一種持盾牌的武舞。干，盾；協，同"脅"，掩護。　時：同"是"。　懷：思念，指有易氏女子思念王亥。

187

據《竹書紀年》"殷侯子亥賓于有易而淫焉，有易之君綿臣殺而放之"的記載，大概王亥同有易氏女子通姦才爲綿臣所殺。 平脅：豐滿的胸脯。 曼膚：光澤的皮膚。 肥：同"妃"，指通姦。

這四句就王亥與有易之女事發問：有易之女爲何思念王亥，因他會跳干協之舞？王亥爲何與她通姦，因她體態豐腴容光照人？

有扈牧豎，云何而逢？
擊牀先出，其命何從？

【注釋】

有扈：即有易，文中指有易氏女。 牧豎：指王亥。 云何：如何。 逢：相逢。 擊：襲擊。 先出：事先逃出。據文義，王亥遭有易人襲擊，僥倖逃生，但最終仍爲有易所殺，其詳情今已不明。

這四句就有易襲擊王亥事發問：有易之女與王亥通姦，他們是如何相逢而相愛的？有易襲擊他們於床笫之間，王亥却聞訊先逃，他交了什麽好運得以生還？

恒秉季德，焉得夫朴牛？
何往營班祿，不但還來？

【注釋】

恒：王恒，王亥之弟。 季：恒父。 夫：彼，指王亥。朴牛：指王亥放牧的牛羣。朴，同"犕"，未閹的公牛。 營：求取。 班：發放。 祿：利祿。王亥爲河伯牧牛，必受報酬，有易殺王亥，取其牛羊，大概也侵吞了河伯給王亥的東西，所以王恒前去索還。 不但：不得。 還：返回。

這四句就王恒事發問：王恒秉承季的德行，他如何奪回王亥喪失的牛羣？為何他向有易討還王亥應得的報酬，有易不放他回來？

> 昏微遵迹，有狄不寧。
> 何繁鳥萃棘，負子肆情？

【注釋】

昏微：即上甲微。　遵迹：遵循王亥、王恒同有易氏鬥爭的軌迹。有易與商族大概有宿怨，及至有易殺王亥，留難王恒，雙方仇恨更深，至上甲微終於從河伯處借得軍隊滅了有易。《竹書紀年》："（夏）帝泄十六年，殷上甲微假師于河伯以伐有易，滅之，遂殺其君綿臣。"　有狄：即有易。狄易古通用。　繁鳥：指衆民。　萃棘：荒草與荆棘。繁鳥萃棘，比喩家國破亡。　負子：即婦女。負，同"婦"，古婦字。子，女子之子。　肆情：放肆於情慾。

這四句就上甲微伐有易事發問：上甲微遵照先人的方針攻打有易，使有易不得安寧。為何使有易國破家亡，還恣意污辱人家的婦女？

> 眩弟並淫，危害厥兄。
> 何變化以作詐，而後嗣逢長？

【注釋】

眩弟：猶言亂弟。　逢長：昌盛。逢，同"豐"。這四句前承上甲微事，後繼商湯事，因此，必定也是指商人的事。文中有"後嗣逢長"一語，按殷王世系中，以直系血緣承繼王位延續最長的是上甲微的後嗣，計有匚乙、匚丙、匚丁、示壬、示癸、

189

大乙六代。因此，這四句指的大概是上甲微與其兄的事，但詳情已湮沒難知了。據文義推斷，可能是上甲微與其兄同某女淫亂，產生了糾紛，並因此危害到其兄的安全。

這四句就上甲微事發問：上甲微與兄長一起淫亂，危害到兄長的安全；他詭計多端做盡奸詐之事，為何後嗣反而繁榮昌盛呢？

　　成湯東巡，有莘爰極。
　　何乞彼小臣，而吉妃是得？

【注釋】

　　成湯：即商湯。　　東巡：相傳湯得知有莘（音申 shēn）氏人伊尹賢明，便向有莘索要伊尹，被有莘拒絕。湯於是想用另一種辦法得到伊尹。他要求娶有莘氏女，有莘很高興，便把伊尹陪嫁給湯。據文義看，湯似曾親自向有莘氏求婚。有莘國在今江蘇徐州一帶，湯的都邑亳在今河南商丘縣（另據考古發掘，亳的故址可能在今鄭州）。從亳到有莘須向東走，故稱東巡。　　爰：於是。

　　極：至。“有莘爰極”，即“爰極有莘”的倒裝──於是而至於有莘。　　乞：討。　　彼：指有莘。　　小臣：指伊尹。　　吉妃：艮妃。妃，配偶。相傳湯妃有莘氏女賢艮聰慧。

　　這四句就成湯東巡事發問：成湯東巡，到了有莘國，他本想求得伊尹，何以得到一位賢內助？

　　水濱之木，得彼小子。
　　夫何惡之，媵有莘之婦？

【注釋】

　　木：樹。　　小子：指伊尹。據《呂氏春秋·本味》，伊尹之母住在伊水之濱，妊娠時夢見神人告誡她說，米臼出水即向東跑，

190

不要回顧。不久，米臼生水，她便向東跑了十里，忍不住回頭望了一下，於是化爲空心的桑樹。後來有莘國的蠶女在樹下採桑，從樹腹中揀到一個嬰孩，獻給了國君，國君交付廚師撫養，這就是伊尹。　惡：憎惡。　之：指伊尹。　勝：音硬 yìng，古代貴族嫁女時，以奴僕或別種人陪嫁，叫媵。　有莘之婦：謂下嫁成湯的有莘之女。

這四句仍就伊尹事發問：在伊水之濱的桑樹中得到伊尹，爲什麼嫌惡他而作爲有莘氏女的陪嫁？

湯出重泉，夫何辠尤？
不勝心伐帝，夫誰使挑之？

【注釋】

重泉：類似今之水牢。相傳夏桀曾將成湯囚禁於鈞臺，重泉可能就在鈞臺。　辠尤：罪過。辠，古罪字。　不勝心：心中不能忍受。　帝：謂夏桀。　誰使挑之：誰挑動的？這是反語。意謂湯伐桀並非別人挑動，乃夏桀囚禁成湯引起的，咎由自取。

這四句就湯伐桀事發問：湯被囚於重泉而後獲釋，他犯了什麼罪？成湯難忍心頭之憤而攻打夏桀，又有誰挑唆他呢？

會鼉爭盟，何踐吾期？
蒼鳥羣飛，孰使萃之？

【注釋】

會鼉：即朝會，指周武王伐紂時與諸侯的盟會。據《史記·周本紀》，武王十一年十二月，在孟津（今河南孟縣南）與庸、蜀、羌、髳、微、盧、彭、濮等諸侯會盟，同心伐紂。　爭盟：盟誓。　踐：踐約，指諸侯如期到孟津會師。　吾期：武王約定的日期。吾，當為武字，同音致誤。　蒼鳥：指鷹，比喻會盟的諸侯。　萃：聚集。上古交通極不便利，會盟的侯國分散而遙遠，一時齊會孟津頗不容易，所以屈原有疑問。

這四句就武王會盟事發問：諸侯會盟，如何克期赴約？好似蒼鷹同時飛來，如何使他們會聚到一起？

> 列擊紂躬，叔旦不嘉。
>
> 何親揆發足，周之命以咨嗟？

【注釋】

列：同"裂"，分。　躬：身體。周武王十二年二月甲子日，周軍進抵距紂都朝歌七十里的牧野（今河南汲縣北），消息傳入城中，紂才散宴罷舞，調集部隊與周軍展開了有名的牧野會戰，商軍倒戈，武王攻破朝歌，紂王退到他享樂的園囿鹿臺，縱火焚燒所藏的珍寶，以衣蒙面自縊而死。一說紂坐在珠玉之中自焚。武王找到紂的屍體親手射了三箭，並以劍砍擊紂屍，用黃鉞斬下紂的頭，懸在飄揚着白旗的桿子上。"列擊紂躬"即指割紂頭擊紂屍。　叔旦：即周公姬旦，他是武王之弟，故稱叔旦。　嘉：讚許。　親揆：親自謀畫。揆，音魁 kuí。　發足：動程。　周之命：指武王滅殷的號令。　咨嗟：讚嘆。

這四句就周公反對"列擊紂躬"事發問：武王割擊紂屍，周公不同意。爲何他出謀畫策助武王伐紂，對武王滅殷的號令大加讚譽呢？

> 授殷天下，其德安施？
>
> 及成乃亡，其罪伊何？

【注釋】

乃：却。　伊：句中語助詞，無義。

192

這四句就商殷的興亡發問：天命將天下授予殷人統治，殷人施行了什麼德政而換得天命的賜予？殷人佔有了天下却又滅亡，它又犯了什麼罪過？

> 爭遣伐器，何以行之？
> 並驅擊翼，何以將之？

【注釋】

遣：文中是拿的意思。 伐器：兵器。 並驅：並駕齊驅。擊翼：打擊敵軍的兩翼。 將：統帥。

這四句就牧野之戰發問：周人競相拿起武器，如何能使他們做到這樣？周軍齊頭並進狠擊殷軍的兩翼，是如何指揮的呢？

> 昭后成遊，南土爰底。
> 厥利惟何？逢彼白雉？

【注釋】

昭后：指周昭王。 成遊：盛大的出遊。成，當爲盛之誤。據《竹書紀年》，周昭王十六年，伐楚，渡漢水，遇大兕，十九年再伐楚，喪六師軍隊。周昭王時，楚國吞併了江漢諸小國，這些小國都是周天子冊封的，一旦滅於楚國，自然不能允許，因此兩度攻楚，但都失利，昭王也送了命。相傳昭王渡漢水，船夫用膠黏合的船渡他，舟至中流膠溶船解，昭王落水淹死。"成遊"即指昭王伐楚而言，不說伐而說遊，是爲尊者諱的委婉說法。

南土：南方。 白雉：按毛奇齡補注《竹書紀年》："昭王之季，荊人卑詞致王曰：願獻白雉，昭王信之而南巡，遂遇害。"雉，野鷄。

這四句就昭王伐楚事發問：昭王巡遊，至於江漢南國，他追

193

求什麼利益？難道就是爲了去迎那隻白雉嗎？

> 穆王巧梅，夫何爲周流！
> 環理天下，夫何索求？

【注釋】

穆王：周穆王。傳說穆王以造父御車周遊天下，至崑崙見西王母。　巧梅：巧手的車夫，指造父。梅，王夫之認爲即“枚”，指馬鞭。　周流：周遊。　環理：同“還里”，指穆王巡遊歸來計算所行的里程。據《左傳》昭公十二年，穆王希望天下佈滿自己的車轍馬迹，於是駕車巡行四方，回來後又鄭重其事地計算里數。《穆天子傳》四：“庚辰，天子大朝于宗周之廟，乃里西土之數。”《竹書紀年》：“（穆王）西征，還里天下，億有九萬里。”

這四句就穆王巡遊事發問：穆王帶着他的出色的御手爲了什麼目的周遊天下？計算巡行天下的里程，又是追求什麼？

> 妖夫曳衒，何號於市？
> 周幽誰誅？焉得夫褒姒？

【注釋】

妖夫：據《國語·鄭語》，夏代，曾有兩條神龍停在宮庭之上，自稱“褒之二君”。夏王立即舉行祭祀，神龍留下一堆涎沫後忽然不見。夏王卜筮說將龍涎收藏起來吉利，於是用匣子把龍涎藏起來。這匣龍涎一直傳到周代，無人敢打開。周厲王晚年時出於好奇打開來看，龍涎流出，化爲玄黿爬進後宮，觸到一位宮女，無夫而孕，至宣王時生下一女嬰。宮女內心恐懼，將女嬰拋棄了。這時市面上流傳着“檿弧箕服（山桑弓、箕木箭袋），實

亡周國"的童謠，碰巧有一對夫婦叫賣"檿弧箕服"，宣王認為
這是不祥之兆，便下令要抓起來處死。這對夫婦逃走，在路上聽
到女嬰啼哭，便抱起她逃到了褒國，取名褒姒（音包事 bāo shì）。
長大後褒人將她獻給周幽王，幽王迷戀她的美色，不理國政，犬
戎族乘機入侵，攻破鎬京殺死幽王，西周滅亡。妖夫即指叫賣"檿
弧箕服"的男人。　曳衒：沿街叫賣。曳，引，文中是前行之意。
衒，音炫 xuàn，炫耀，指誇耀所賣之物。

　　這四句就褒姒亡周事發問：妖夫沿街叫賣，他在市中呼叫什
麼？幽王被誰誅殺？他如何得到褒姒這個禍害？

天命反側，何罰何佑？
齊桓九合，卒然身殺？

【注釋】

　　反側：反覆無常。　齊桓：齊桓公，春秋五霸之一。他曾多
次召集諸侯會盟，提出"尊王攘夷"的口號，挾天子以令諸侯。
九合：指多次會盟事。　卒然身殺：終於殺身。據《史記·齊太
公世家》，管仲死後，齊桓公寵用壞人易牙、開方、豎刁，這三
人分別同桓公的五個兒子結為朋黨，爭奪王位繼承權。桓公死後，
五公子互相攻戰，桓公陳屍於臥牀之上，屍蟲滿室。

　　這四句就齊桓公事發問：天命反覆無常，懲罰誰保佑誰？齊
桓公九合諸侯，為何悽慘地死去？

彼王紂之躬，孰使亂惑？
何惡輔弼，讒諂是服？

【注釋】

　　王紂：紂王。　躬：身。　亂惑：迷亂糊塗。　惡：憎惡。

輔弼：輔佐之臣。　服：信用。

　　這四句就紂王事發問：紂王這個人，誰使他如此昏亂？他爲什麼憎惡輔國忠臣，信用讒諂阿諛的小人？

> ## 比干何逆，而抑沈之？
> ## 雷開何順，而賜封之？

【注釋】

　　比干：見《涉江》注。　抑沈：懲處。沈，同"沉"。　雷開：紂王的奸臣。據說紂王做壞事，他曲意阿順，因而深得紂王的寵信，賜予大量金玉並裂土分封。

　　這四句仍就紂王事發問：比干有何過錯，受到懲處？雷開如何阿順紂王，受到賞賜與分封？

> ## 何聖人之一德，卒其異方，
> ## 梅伯葅醢，箕子佯狂？

【注釋】

　　聖人：謂梅伯、箕子。　卒：終。　其：乃。　異方：不同的方式。　梅伯：殷諸侯，因屢次直諫爲紂王所殺。　箕子：紂王的諸父，曾任太師，敢於切言諫諍，紂王憎恨他，爲躲避災難他披髮裝瘋，但仍不免於被囚，殷亡後才獲釋。

　　這四句就梅伯、箕子事發問：聖人恪守同一道德準則，爲何表現却完全不同，梅伯甘願被剁成肉泥，箕子却裝瘋？

> ## 稷惟元子，帝何竺之？
> ## 投之於冰上，鳥何燠之？

196

　　稷：后稷，名棄，周族的始祖。相傳他是帝嚳妻姜嫄所生。
據說后稷初生時像個肉團，帝嚳以爲怪物，棄之於冰上，羣鳥飛
來以翅羽溫暖他，因而未死。長大後善於種植，教人耕種，曾任
堯的農官。　元子：長子。　帝：指帝嚳高辛氏。　竺：同"毒"，
憎惡。　燠：音預 yù，暖。

　　這四句就后稷事發問：后稷是長子，帝嚳爲何厭惡他？將他
遺棄在冰上，鳥兒爲何溫暖他？

> 何馮功挾矢，殊能將之？
> 既驚帝切激，何逢長之？

【注釋】

　　馮：音凭 píng 操持。　殊：傑出。　將：統帥。據《論衡·初稟》，
稷曾任堯的司馬，主持軍事。　驚帝：謂稷誕生形如肉團使帝嚳
受驚。　切激：情緒激動。　逢長：魁梧健壯，形容稷。逢，同
"豐"。

　　這四句仍就后稷事發問：后稷怎會操弓挾箭，具備擔當統帥
的傑出將才？因驚嚇了生父而被棄於冰上，何以還那樣魁偉健壯？

> 伯昌號衰，秉鞭作牧，
> 何令徹彼歧社，命有殷國？

【注釋】

　　伯昌：即周文王，姓姬名昌，紂時受封西伯，故稱伯昌。
號：郭沫若釋作"荷"，即披着。　衰：同"簑"，簑衣。　秉：
持。　作牧：放牧。周是從事農牧業的部族，文王即位後努力發
展農牧事業，使周強盛起來。　徹：《詩·大雅·公劉》有"徹田爲糧"

句，毛傳釋"徹"爲"治"。 歧社：周人在其發祥地歧山（在今陝西歧山縣）所立的社。古代建國必先立社，社是國家的象徵。"徹彼歧社，命有殷國"，指將治理歧社擴大爲治理整個殷國。

這四句就周族興起滅殷事發問：西伯昌身披簑衣，持鞭放牧牛羊，爲什麼他能治理歧周，後代並受命統治殷國呢？

> 遷藏就歧，何能依？
> 殷有惑婦，何所譏？

【注釋】

遷藏：携帶寶藏遷移。 就歧：前往歧山。周文王的祖父太王因受戎狄威脅，率領族人由豳（今陝西旬邑）遷至歧山下的周原。 依：隨。 惑婦：指妲己。 譏：勸諫。

這四句就太王遷居和殷紂事發問：太王携帶寶藏遷居周原，族人爲什麼都能依從他，跟隨前往？殷紂惑於妲己，何以就無人能使其改惡從善？

> 受賜兹醢，西伯上告。
> 何親就上帝罰，殷之命以不救？

【注釋】

受：紂名受。 兹：古孳字，同"子"，指西伯昌（文王）長子伯邑考。相傳伯邑考在殷當人質，紂殺伯邑考做成肉湯賜給西伯昌。紂說：誰說西伯是聖人，食己子還不知道！"受賜兹醢"即指此事。 上告：向天帝上訴。 親就：猶言親自接受。紂王親受上帝懲罰的傳說今已不明。 以：却。

這四句就紂將伯邑考烹成肉湯賜文王一事發問：紂王將伯邑考之肉羹賜給西伯昌，西伯昌向天帝申訴。爲什麼紂王親身受天

198

帝的懲罰，而殷的國運仍無法挽救？

師望在肆，昌何識？
鼓刀揚聲，后何喜？

【注釋】

師望：即呂望。呂望曾爲周之太師，故稱。　肆：市場。師望曾爲屠夫，他的鼓刀事詳《惜往日》注。　昌：姬昌，即文王。識：鑒別。　揚聲：聲音飛揚。　后：指文王。

這四句就文王擢用呂望事發問：呂望在店肆賣肉，文王如何會知道他的才能？聽到他敲打屠刀的聲音，文王爲何那樣高興？

武發殺殷，何所悒？
載尸集戰，何所急？

【注釋】

武發：周武王姬發。　殷：指紂王。　悒：暴躁憤怒。武王"列擊紂躬"，顯出一腔怒火。周人遷歧後發展很快，同殷人的利益衝突起來，殷王文丁殺了周文王之父季歷，後文王攻滅殷的盟國崇（在今西安市），紂王將文王囚禁在羑里（今河南湯陰縣北）。文王獲釋後囑咐武王隱忍待發，一舉滅殷。　尸：尸主。上古的人認爲祖先的神靈能保祐在人間的子孫，因此遇事必先祭祖以求神祐，並以活人充當先祖接受祀禮，此人稱爲尸主。後以木牌位代替活人，稱木主。　集戰：會戰。

這四句就武王伐紂事發問：姬發割擊紂屍，爲何那麼暴躁？父死不葬，載着文王的尸主進行牧野之戰，爲何這樣着急？

伯林雉經，維其何故？

何感天抑地，夫誰畏懼？

【注釋】

伯林：可能是鹿臺中的園林。　雉經：自縊，自經。　感天：武王載尸主而戰，借助於在天的神靈，故稱感天。　抑地：指以先祖神靈壓制殷紂。

這四句就武王克紂事發問：殷紂在伯林吊死，是什麼緣故？武王感天抑地去攻擊殷紂，又何所畏懼？

皇天集命，惟何戒之？
受禮天下，又使至代之？

【注釋】

集命：降賜天命。　戒：謹誡。　受：指紂王。　禮：同"理"，統治。　至：至於。使至，疑為"至使"，至於使……之意。

這四句就商殷亡國事發問：皇天既降賜天命給殷，殷王為何不小心警惕？紂王統治天下，為何竟使周人取而代之？

初湯臣摯，後茲承輔。
何卒官湯，尊食宗緒？

【注釋】

臣摯：以摯為奴僕。臣，奴僕。伊尹（名摯）最初是有莘氏陪嫁給湯的奴僕。　茲：則。　承輔：擔當輔佐大臣。　卒：同"猝"。　官湯：做湯的官吏。　尊食：猶言祭祀。祭祀必上犧牲貢品，故稱尊食。　宗緒：指殷商王室按血緣確定的祭祀系統。殷商貴族按血緣關係尊卑親疏的次序，排列成一個完整而複雜的祭祀體系，稱為"示"。每一近親血緣集團稱為"宗"。在祭祀體系中，長輩稱大宗，其後輩稱小宗，而小宗對其後代子孫則又是大宗。尊食宗緒，即列入先祖祭祀系統加以祭祀之意，指伊尹受祭。據甲骨文記載，殷商人對伊尹的祭祀頗爲隆重，不但常受祭祀，而且與商湯並列。伊尹同殷商人無親緣關係，却被編入殷商人的祭祀系統加以崇奉，屈原不理解，故提出疑問。

這四句就伊尹的地位發問：最初商湯視伊尹爲奴，後則成爲重臣。爲何他躍升爲湯的大臣，受殷商人的隆重祭祀呢？

　　勳闔夢生，少離散亡。
　　何壯武厲，能流厥嚴？

【注釋】

　　勳：功勳。　闔：闔廬，春秋時吳的國君，名光，吳王諸樊之子。據《史記·吳太伯世家》，吳王壽夢有四子：諸樊、餘祭、餘眜、季札。諸樊、餘祭、餘眜相繼爲王，餘眜死，季札不願爲王而出逃，餘眜子僚繼位。闔廬以爲應由他繼位，私養勇士專諸，蓄謀奪取王位。他邀僚到地下宮室飲宴，由專諸進炙魚，乘機拿出藏在魚腹中的匕首刺死僚，闔廬做了吳王。闔廬很有才幹，他任用伍子胥和孫武爲將，攻破楚都郢，逼得楚昭王逃亡外地。夢：吳王壽夢。　生：同“姓”，子孫。　離：同“罹”。　壯：長大。　武厲：勇武威嚴。　流：傳播。　嚴：威武。

　　這四句就闔廬事發問：功勳卓著的闔廬是壽夢的後代，年少時蒙受過顛沛流離的苦難。成年後爲何勇敢而嚴峻，威名遠揚呢？

　　彭鏗斟雉，帝何饗？
　　受壽永多，夫何久長？

【注釋】

　　彭鏗：即彭祖，姓籛（音堅 jiān），名鏗，古帝王顓頊之玄孫，傳說壽至八百歲。他善於修身養性，精於烹飪調味，曾向堯進雉羹，堯封他於彭城。　斟：烹調。　雉：野雞。　帝：謂堯。

饗：同"享"。　受壽：猶言享年。　永：久。傳說堯壽一百一十七歲。

這四句就堯長壽事發問：彭鏗烹調野雞羹，堯爲何享用？他壽命長久，這是爲什麼？

中央共牧，后何怒？
蠭蛾微命，力何固？

【注釋】

中央：指中原地區，在古代是文明中心。　共牧：共管；或釋作由共伯和統治。　后：帝。一說，上古中原地區散居着許多部族、方伯，各據一方，行使着統治權，彷彿共同治理着中原似的。實際上戰事頻仍，他們之間鬥爭非常激烈。"中央共牧，后何怒"，所指的具體情節，今已不甚了了。

這一段話歷來治《天問》者均感到難理解。戴震、毛奇齡等認爲是泛指。但《天問》全篇沒有不根據事實（或傳說）的空論，所以聞一多《校補》認爲是講周厲王爲國人所逐，逃到彘，共伯和代行天子事。根據這個解釋，"中央共牧"，就是指諸侯奉共伯和執行周天子的統治這件事。"后何怒"，指厲王死於彘之後，共伯和想篡位自立，恰巧逢上大旱，問卜，說是厲王作祟降災。

蠭：同"蜂"。　蛾：古蟻字。　微命：微小的生命。

這四句似可釋爲：厲王被逐後由共伯和管理的中原地區鬧災荒，是厲王死後發怒作祟嗎？老百姓生命像蜂蟻一樣微賤，他們追趕厲王、捉拿太子，又爲什麼如此頑強團結一致？

驚女采薇，鹿何佑？
北至回水，萃何喜！

202

驚:同“憼”。　采薇:謂伯夷、叔齊事。相傳二人是商的藩屬孤竹國(故地在今遼寧大淩河流域)君主之子。君父欲立叔齊,及父死,叔齊讓位於伯夷,伯夷出逃,叔齊爲避繼位也逃走了。伯夷在途中巧遇向紂都進軍的周武王,他勸武王不要叛商,武王不聽。他逃至首陽山,碰到叔齊,二人爲了忠於商王,不食周粟,在首陽山採薇充飢。有位老婦對他們說:你們講義氣不食周粟,但所採之薇也是周家的草木啊!從此二人連薇也不採了,終於餓死於首陽山。　鹿何佑:相傳伯夷叔齊絕食七天,天帝派遣白鹿下凡哺乳他們。　佑,助。　回水:指首陽山。該山在今山西永濟縣南,黃河在其南轉彎東流入河南境,故以“回水”代稱。回,回旋。　萃:聚集。

這四句就伯夷叔齊事發問:伯夷、叔齊憼於老婦之言而絕食,白鹿何以幫助他們?北至首陽山而餓死,縱然兄弟完聚又何喜可言!

> 兄有噬犬,弟何欲?
>
> 易之以百兩,卒無祿?

【注釋】

兄:謂春秋時秦景公。　噬犬:猛犬。噬,音是 shì,咬。弟:秦景公之弟公子鍼。　易:交換。　兩:同“輛”。相傳公子鍼欲以車百乘交換秦景公的猛犬,景公不肯,二人因而有了隔閡,後公子鍼逃奔晉國。

這四句就秦公子鍼事發問:兄有猛犬,弟爲何想佔有它?用百輛車換一條狗,終於連爵祿都喪失了?

> 薄暮雷電,歸何憂!
>
> 厥嚴不奉,帝何求?

據《呂氏春秋・音初》，夏王孔甲狩獵於東陽萯山，黃昏時雷雨大作，他到一平民家避雨，正巧這家生一兒子。孔甲的隨從說：雷雨中誕生，必有災殃。孔甲便將此子携回宮中，說：做我的孩子，誰能加給他災禍！孩子長大後在一次偶然的事件中被砍去雙脚。按照當時的傳統習慣，無足者只能做低賤的門官。孔甲無奈只好讓他去守門，並感嘆地說：這是命運啊！　薄暮：黃昏。

嚴：當爲"壯"，壯年。　不奉：謂無緣享受封爵厚祿。　帝：指孔甲，夏桀之曾祖。

這四句就孔甲事發問：薄暮冥冥雷鳴電閃，携子回宮何慮日後生災難！及至長成橫遭禍殃，孔甲尚復何求？

> 伏匿穴處，爰何云？
> 荆勳作師，夫何長？
> 悟過改更，我又何言！

【注釋】

伏匿：藏匿。伏匿穴處，屈原形容自己當時在政治上的困難處境。　爰：楚方言，悲憤之意。　云：說。　荆：指楚國。勳：功利，指楚懷王貪圖商於之地六百里而許張儀絕秦事。　作師：發兵，指楚懷王十七年攻秦事。　長：謂國運長久。　我：屈原自謂。楚懷王輕信張儀而絕齊，後又貿然攻秦招致慘敗，楚國從此一蹶不振，屈原對此十分痛心，在《天問》中又特地提出此事，以警告楚懷王。

這六句就楚的政情發問：我過着隱忍屈曲的日子，這一腔悲憤如何表達？君王貪求功利而失策，又貿然興師，國運怎能久長？君王若改弦易轍，我何必一再申言！

> 吳光爭國，久余是勝？

何環閭穿社，以及丘陵？

【注釋】

　　吳光：吳公子光。　　爭國：指光殺僚而奪取君位事。公元前五○一年，闔廬攻佔楚的舒地，次年又取六與潛，四年後攻破楚都郢，伍子胥掘楚平王之墓，鞭其屍。“久余”三句均指上述史實而言。　　余：我們，這是屈原的口吻，實指楚國。　　余是勝：戰勝我們。　　環閭：指楚軍破郢。環，疑爲“壞”字之誤。閭，里巷，平民所居。　　穿社：猶言破國。穿，毀。社，祭祖之神廟。及：波及，加到……之上。　　丘陵：指楚平王之墓。

　　這四句就吳敗楚事發問：吳王闔廬爭得王位後，爲何總是戰勝我們？爲何國家破敗生靈塗炭，連先王陵墓也被掘了？

爰出子文，是淫是蕩，

吾告堵敖，以楚子不長。

何試上自予，忠名彌彰？

【注釋】

　　爰：句首助詞。　　出：出生。　　子文：春秋時楚國名臣，在楚成王時任令尹二十餘年。他是鬭伯比和邧國（春秋國名，故地在今湖北安陸，滅於楚）女子的私生子。相傳邧女將他棄於雲夢澤中，有虎來哺育他，邧人以爲神異，便收養起來。　　是：語助詞。　　淫蕩：指鬭伯比與邧女私通事。　　吾告：誣告。吾，同“𦔻”（忤），逆。　　堵敖：即楚王莊敖。　　楚子：謂莊敖。不長：未履行兄長的義務。長，音掌 zhǎng。　　試：同“弒”。

　　自予：自立，指熊惲代莊敖爲王。《史記·楚世家》：“（楚文王）卒，子熊囏立，是爲莊敖。莊敖五年，欲殺其弟熊惲，惲奔隨，與隨襲弒莊敖代立，是爲成王。”莊敖爲何要殺熊惲，詳情今已不明。據文義看，大概是子文看穿了熊惲有篡位的野心，欲從中漁利，於是向熊惲誣告莊敖無爲兄之德，煽動熊惲反莊敖，莊敖欲殺熊惲，熊惲同子文逃往隨國，借助隨的力量襲殺莊敖，自立爲王。熊惲即位後頗有作爲。公元前六五六年，他挫敗了齊桓公的進攻，迫使桓公同意結盟。公元前六三八年，他打敗了稱霸一時的宋襄公。他還滅掉了淮南的英國和巫山的夔國，擴大了楚的疆域。

這六句就熊惲弑兄事發問：子文乃淫蕩的䢵女所生，他誣讒莊敖無爲兄之德。爲何熊惲弑兄自立，忠良之譽反而愈發彰顯？

附: 屈原年表

公元紀年	楚紀年	重大歷史事件	屈原生平活動事迹	作 品
前343年	楚宣王27年		正月二十一日(寅日)生。	
前329年	楚懷王元年	張儀相秦。		
前318年	楚懷王11年	六國合縱,楚懷王為縱長,合兵攻秦,失敗。	任左徒。	是年以前作《橘頌》;是年至公元前314年作除《國殤》以外的《九歌》諸篇;公元前314年作《惜誦》。
前317年	楚懷王12年	秦敗韓軍,向東擴展勢力,同齊,楚的矛盾進一步加深。	出使齊國,聯齊以抗秦。 屈原與上官大夫、斬尚之流的矛盾日深,上官等人開始糾集派別勢力,進行反屈原的活動。	
前314年	楚懷王15年		上官大夫奪屈原草擬的法令草稿,屈原不予,因遭讒害與懷王的關係漸趨冷淡。	

前313年	楚懷王16年	張儀至楚，以商於之地六百里作釣餌，誘騙懷王與齊絕交。	屈原勸諫懷王勿信張儀，繼續執行聯齊抗秦的政策，被懷王革職放逐漢北。	秋作《抽思》。
前312年	楚懷王17年	楚攻秦，大敗，亡大將屈匄；秦取楚漢中地，韓、魏乘機攻楚，楚大為困窘。	春在漢北，後被召回郢都，任三閭大夫，再度使齊以修齊楚舊盟。	春作《思美人》。
前311年	楚懷王18年	秦歸楚漢中地，與楚和好；懷王欲得張儀而心甘，及儀至，又惑於鄭袖而釋之。	自齊返楚，勸懷王追殺張儀，儀已遁去，追之不及。	
前309年	楚懷王20年	齊楚復交好，懷王尊齊湣王為縱長。	屈原繼續進行聯合齊國以對抗秦國的活動。	作《國殤》。
前306年	楚懷王23年	楚滅越，將勢力廣展至江浙一帶。		
前305年	楚懷王24年	秦昭王厚賂路懷王，並約結婚姻，懷王同意與秦交好，並派人至秦迎婦。	屈原可能進行了規勸，但懷王不聽，原再度失勢。	

				作《天問》。
前304年	楚懷王25年	秦與楚在黃棘盟會，秦退還楚上庸地。		
前303年	楚懷王26年	齊、韓、魏以楚背叛縱約，合兵伐楚，楚爲求得秦的援助，以太子橫質於秦。		
前302年	楚懷王27年	楚太子與秦大夫爭鬥，殺秦大夫亡歸楚國。		
前301年	楚懷王28年	秦庶長奐合齊、魏、韓軍共伐楚，敗楚軍於垂沙，殺楚將唐眛，取楚重丘地。		
前300年	楚懷王29年	秦華陽君攻楚，斷楚軍三萬，殺楚將景缺，取楚襄城；懷王使太子橫質於齊。		
前299年	楚懷王30年	秦攻楚取八城；秦脅迫誘騙懷王至武關相會；懷王赴會被扣，囚於秦。	屈原同子蘭等親秦派抗爭，勸懷王勿赴會，懷王不聽。	

前298年 楚頃襄王元年	秦軍自武關攻楚，斬首五萬，取析15城。		
前297年 楚頃襄王二年	楚懷王逃亡未遂。		
前296年 楚頃襄王三年	楚懷王客死秦國，秦楚絕交。	屈原怨望子蘭勸懷王赴秦約，子蘭指使上官等人誣諂屈原。	
前293年 楚頃襄王六年	秦將白起敗韓、魏之師於伊闕，斬首二十四萬；楚頃襄王患之，謀與秦恢復關係。	屈原極力反對，同親秦派的矛盾激化。	
前292年 楚頃襄王七年	楚頃襄王派人至秦迎婦，與秦重結姻親之好，俯首聽命於秦。	屈原反對令尹子蘭的親秦政策，遭受陷害，被放逐江南。	
前291年 楚頃襄王八年		沿沅水至漵浦，流浪於沅湘一帶。	作《涉江》。
前285年 楚頃襄王14年	楚頃襄王與秦昭王相會於宛，結和親。	至九疑山舜的神廟，向舜靈陳詞。	

前283年	楚頃襄王16年	楚頃襄王與秦昭王會於鄢，秋，復會於穰。	由九疑北上至夏浦，決定回郢諫君，途經江漢遇漁父，相與問答。頃襄王拒絕屈原入郢，遂赴秭歸故鄉。	作《哀郢》。
前282年	楚頃襄王17年		自秭歸復返江南，浪迹於兩湖、洞庭一帶。	作《雛颺》。
前280年	楚頃襄王19年	秦伐楚，楚軍敗，割上庸、漢北地予秦。		
前279年	楚頃襄王20年	秦將白起攻楚，取鄢、鄧、西陵。		作《悲回風》。
前278年	楚頃襄王21年	白起拔郢，攻佔楚洞庭一帶地區，頃襄王退守於陳，秦以郢爲南郡。	赴汨羅投江自盡。	作《懷沙》和《惜往日》。

《中國歷代詩人選集》

　　這是一套由劉逸生先生主編的中國古典詩歌選集。劉先生對古典文學研究有素，已有多種古典文學研究專著面世。

　　這套選集的編纂宗旨是試圖對先秦以迄清末有代表性的詩人及其作品的選介，幫助讀者了解中國古典詩歌發展的基本輪廓，爲讀者閱讀和欣賞古典詩歌的精華，提供方便。選集收入作品是以詩家爲主，間收詞人之作。書的開頭附有前言，介紹詩人生平、思想及作品主要傾向。每首詩詞均有注釋和白話文串解，注釋簡明準確，白話文串解力求體現原作精神。此外，並有題解具體說明寫作背景、主題思想和藝術特色。本叢書既具學術研究價值又不失爲普及性、欣賞性的讀物。這套書計劃出版四十種，計有：